中國近代報刊研究叢書

《德文新報》研究
（1886-1917）

下冊

牛海坤　著

目次

下冊

第七章
世界大戰中的宣傳
──《德文新報》戰時內容分析

　　「那些給德國帶來統一的戰爭，相當清晰地勾畫出了舊秩序的瓦解和新秩序的形成。……德國在普法戰爭中的勝利不可避免地打破了十九世紀的力量均衡。」[1]而這種情況在威廉二世登上帝位後愈加突出，德國告別了俾斯麥的時代，開始了新的航程。

　　「在一戰期間，報刊還沒有其它新的傳媒方式作為競爭對手，它的基礎也得到了有力的拓展。」[2]然而，對德國報業來說，這卻是從抗爭到迷失的過程。「到一九一四年戰爭爆發時，許多報刊被捲入威廉二世自負的民族主義之中，幾乎沒有報刊再去認真論證戰爭的問題。即使是奧古斯特‧舍爾（August Scherl）在遠離政治的前提下創辦的《柏林地方報》（Berliner Lokal-Anzeiger）也進入了皇帝的陣營。」[3]芭芭拉‧塔奇曼（Barbara W. Tuchman）在其著述中曾以《尼祿主義[4]在蔓延》（"Neroism Is in the Air"）[5]作為描述一八九〇年至一

1　邁克‧亞達斯、彼得‧斯蒂恩、斯圖亞特‧史瓦茲撰，大可、王舜舟、王靜秋譯：《喧囂時代：二十世紀全球史》（北京市：三聯書店，2005年），頁16-17。

2　讓諾埃爾‧讓納內：《西方媒介史》（桂林市：廣西師範大學出版社，2005年），頁90。

3　Ulf Jonas Bjork. Germany: Mass-Circulation Newspapers shaped by an Authoritarian Setting. // Edited by Ross F. Collins and E. M. Palmegiano. The Rise of Western Journalism, 1815-1914. Jefferson: McFarland & Company, Inc., Publishers, 2007: 137.

4　此說法源於羅馬皇帝尼祿在公元六十四年火燒羅馬城的典故，據說是尼祿希望按照自己的意圖重建羅馬城，因此在羅馬城一片火海之時，這位皇帝卻坐視不管，在一

九一四年間德國政治統治狀況的標題，以若隱若現的方式將彼時德國的政治和軍事狀況展現出來[6]。很顯然，前文所引述的伍爾夫・約納斯・布約爾克（Ulf Jonas Bjork）在寫作《德國：威權下的大眾化報刊的形成》（Germany: Mass-Circulation Newspapers shaped by an Authoritarian Setting）這篇德國報業史論文的時候，就已經界定了一個前提——十九世紀到二十世紀初德國報業所處的環境是在威權主義統治之下的。

「當一名威權主義者談到大眾傳媒的功能時，他實際上已經確定好了政府的基本目標。這些目標不可避免地控制著他對傳媒文化和政治功能所採取的態度。」[7]那麼，德皇威廉二世一定會贊成這樣的觀點：「各大媒體都應該支持和促進政府當局的政策，以便政府能夠達成自己的目標。」[8]然而，包括報人在內的許多人卻對此渾然不覺，這只是政治領袖與軍事將領們清楚的遊戲。

第一次世界大戰時期，在最能體現英美新聞業傳統的美國，「親德派報刊以芝加哥為據點，已經在德國問題上顯示出了特別的偏向

旁奏樂頌詩。尼祿主義在今天多被定義為後現代的特徵，常用來喻指人類今天恣意地消費地球上的資源而毀滅了賴以生存的環境。在政治方面，尼祿主義多為從政者只顧眼前的短期行為的指代。本文藉此說法喻指德皇威廉二世的政治行為。

5 Barbara W. Tuchman. The Proud Tower: A Portrait of the World Before the War 1890-1914. London: Hamish Hamilton Ltd., 1966: 291-347.

6 塔奇曼在此著述中將施特勞斯描繪成音樂界的愷撒，並將這位音樂家與威廉的軍國主義精神等同。另有學者從施特勞斯音樂本身的角度出發，對塔奇曼的觀點表示了不贊同（朗佩特著，田立年譯：《施特勞斯與尼采》〔上海市：上海三聯書店，2005年〕。但本文所關注的只是塔奇曼對威廉二世統治下的德國之政治與軍事狀況的敘述，不涉及施特勞斯與音樂的問題。

7 弗雷德里克・S・希伯特、希歐多爾・彼得森、威爾伯・施拉姆撰，戴鑫譯，展江校：《傳媒的四種理論》（北京市：中國人民大學出版社，2008年），頁11。

8 弗雷德里克・S・希伯特、希歐多爾・彼得森、威爾伯・施拉姆撰，戴鑫譯，展江校：《傳媒的四種理論》（北京市：中國人民大學出版社，2008年），頁11。

性。……這些親德派報刊的記者們只能接收到那些被德方精心篩選過的新聞。這些記者們看不到事實真相，他們的言語中處處都是對皇帝及其軍備人員的阿諛奉承」。[9]那麼，相形之下，在中國的《德文新報》又是怎樣的呢？

第一節　大戰時期正文版面的數量分析 （1914-1917）

戰爭的來臨改變了一份已有二十七年歷史的在華德文報刊的版面格局。前文對《德文新報》廣告部分的版面數量分析一定令人印象深刻。那麼，本章對戰時內容的分析依然從正文版面數量開始（如圖一所示）。

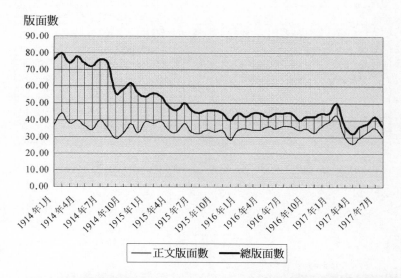

圖一　大戰時期（1914-1917）正文版面數與總版面數走勢圖

9　William H. Skaggs. German Conspiracies in America: From an American Point of View by an American. Toronto: Thomas Langton, 1915: 152-153.

　　雖然整個刊物的總版面數一直呈現下降的趨勢，但報刊規模卻並不讓人覺得有明顯縮減。因為，沒有了大面積的廣告，正文部分反而顯得愈加厚重。許多年來，正文部分終於大大超過了廣告部分所佔的份額。這一點在圖二中表現得尤為明顯：進入一九一四年之後，《德文新報》的正文版面所佔比例鮮有低於百分之五十的情況，一九一四年八月大戰開始後，正文版面數的比例更是直線上陞，一九一五年，這一比例基本保持百分之七十以上，一九一六年春季起，直到該報停刊，正文版面的比例一直保持在百分之八十至百分之九十之間。對戰時的《德文新報》而言，廣告甚至已經失去了配角的位置，純粹是在跑龍套了。

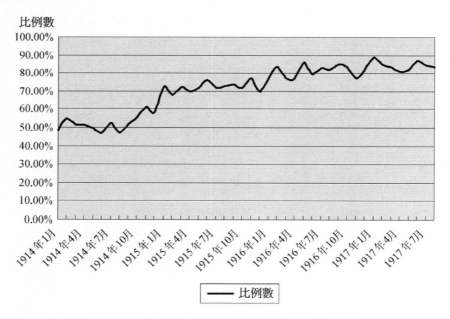

圖二　大戰時期（1914-1917）正文版面比例數走勢圖

　　在沒有戰爭的時日裏，《德文新報》曾為廣告費盡心思。雖然彼時德國報業中普遍靠廣告代理商打理報刊廣告事務的做法同樣被《德

文新報》所繼承，但在到處充滿了英美報業氣息的上海公共租界裏，
《德文新報》面對如此近距離的競爭，就必須做出改變：在芬克接手
主編該報之後，上海本地的廣告業務已經由編輯部中的廣告部門[10]專
門負責處理了。可以推測，當時的《德文新報》在某種程度上已經開
始了英美化的過程，這可能比德國本土的許多報刊都要早。

　　然而，廣告之事的再提只是引子，在此要討論的是，為什麼戰爭
的到來可以迅速摧毀廣告，難道《德文新報》的日常運營已經不需要
廣告來支持了嗎？原因何在？這種摧毀的更深刻意義在於，《德文新
報》正在走向新的報業理念的道路被封堵了。

第二節　大戰時期報導內容的定量分析　（1914-1917）

　　「宣傳」（propaganda）原本只是一個中性詞，是一種散播真
理、原則或教義的手段。[11]一九一四年世界大戰的爆發卻使得「宣
傳」一詞成了大眾用語，並在一戰後被賦予一種否定的含義，因為一
戰中大規模運用了宣傳並取得了極大的成功。[12]除了政府專設的宣傳
機構之外，陷入宣傳泥潭最深的行業無疑是新聞業。第一次世界大戰
以後，「一些參與戰時宣傳的新聞記者著文揭露戰時宣傳中歪曲事
實、誇大敵方暴行等內幕，並對自己喪失新聞道德的行為表示懺悔。

10　芬克接手之後，《德文新報》自設廣告部，並有專人負責，這一信息在前文中已經
　　提及。

11　John William Burgess. American's Relations to the Great War. Chicago: A. C. McCLURG
　　& Co., 1916: 132.

12　哈樂德‧D‧拉斯維爾撰，張潔、田青譯，展江校：《世界大戰中的宣傳技巧》（北
　　京市：中國人民大學出版社，2003年），譯者序，頁8-9。

從此，西方公眾對宣傳一詞開始有了壞語感。」[13]美國新聞界認為，英美新聞業傳統中所宣導的報導客觀性與宣傳是格格不入的。[14]

　　戰爭本身可以作為一種形式激烈的社會現象來理解，但新聞業一旦遇到這種社會現象，就意味著被摧殘，並非體無完膚，而是往往被穿上華麗的霓裳去踩踏自己的靈魂。一九一四年世界大戰正是近代報業歷史上經歷的第一場噩夢。

一　研究概述

　　在十九世紀末二十世紀初的中國，存在著一份具有典型德國特徵的周刊。在傳播學理論中，那個時期恰好被稱之為大眾媒介傳播效果「槍彈論」時期，大眾媒介擁有製造輿論的力量，能夠塑造觀點甚至信仰，這在第一次世界大戰中被宣傳者們所利用。[15]德國在第一次世界大戰中的宣傳，從效果上來看並不是成功的[16]，但從力度上來說，卻是十分強大的。有學者在論述第一次世界大戰時期的德國時這樣說：「全世界都對人類真正的智慧有著一種蒙昧性。在德國，每個人的良好願望和美好心靈都服從於政治形式，成為宰相的喉舌，並被其世界政策和所謂的俾斯麥傳統所毀壞，繼而又成為一個瘋狂皇帝[17]的

---

13 哈樂德·D·拉斯維爾撰，張潔、田青譯，展江校：《世界大戰中的宣傳技巧》（北京市：中國人民大學出版社，2003年），譯者序，頁9。

14 哈樂德·D·拉斯維爾撰，張潔、田青譯，展江校：《世界大戰中的宣傳技巧》（北京市：中國人民大學出版社，2003年），譯者序，頁10。

15 Denis McQuail. McQuail's Mass Communication Theory (Fifth Edition). New Delhi: Vistaar Publications, 2005: 458.

16 管翼賢纂輯：《新聞學集成（第五輯）》，《民國叢書第四編45》（上海市：中華書局，1943年，上海書店影印本），頁89-90。

17 指德皇威廉二世。

傀儡。」[18]就成為喉舌這一點來說，報刊自然是會站在民眾之前的。一九一四年大戰爆發後，德國的報刊「在意見上表現出了出奇的一致，⋯⋯同樣一篇文章會出現在保守派、自由派及社會黨人等各個派別報刊中[19]，即使各個報刊將文章做了些許改動，也都是換湯不換藥。實際上，德國報刊已經成為政府的奴隸。他們不敢表達任何與政府相衝突的意見；任何對於戰爭及其相關行為的批評，有些哪怕是相距甚遠的關係，也會令報刊編輯們擔心招致處罰。每一種特定的奴化都會帶來欣然接受的結果，卻不會招致怨恨。」[20]

　　就《德文新報》來說，諸多著述中將其稱為「喉舌」和「宣傳機關」，正是從一九一四年世界大戰爆發開始的。[21]借由前文對戰時《德文新報》正文版面數量的分析，或許可以參透其中一二：廣告迅速減少，正文逐漸佔據刊物的大部分版面，難道《德文新報》不需要再為

18　H. G. Wells. In the Fourth Year: Anticipations of a World Peace. New York: The Macmillan Company, 1918: 150.

19　在德國報業史中，這些不同派別的報刊之間原本一直存在著意見分歧。相關論述參見 Ulf Jonas Bjork. Germany: Mass-Circulation Newspapers shaped by an Authoritarian Setting. // Edited by Ross F. Collins and E. M. Palmegiano. The Rise of Western Journalism, 18151914. Jefferson: McFarland & Company, Inc., Publishers, 2007: 106-138.

20　Michael A. Morrison. Sidelights on Germany: Studies of German Life and Character during the Great War, Based on the Enemy Press. New York: George H. Doran Company, 1918: 96-97.

21　《中國印刷近代史初稿》中有如下描述：「一九一四年歐戰爆發，《德文新報》及《協和報》皆成為德國在遠東的宣傳喉舌。」（范慕韓：《中國印刷近代史初稿》〔北京市：印刷工業出版社，1995年〕，頁127）《協和報》為《德文新報》主編芬克在上海辦的中文周刊。一九一〇年十月六日（宣統二年九月四日）創刊。每年出刊一卷五十期。主編費希禮。第四年第十五期改由白虹主編。其欄目有：時事、軍事、工業、商業、農業、學術、中外新聞等。用重磅道林紙精印，已知出過六卷。另有描述為「到了一九一四年（民國三年），歐戰爆發，德文新報與協和報卻變做了德方在遠東的宣傳機關」（上海通社：《舊上海史料彙編》〔北京市：北京圖書館出版社，1998年〕，頁318-319）。

自己的生存謀財？正文報導內容是源於諸多特派記者的採訪及通訊稿件的獲得，這也是需要足夠財力支持的，這又作何解釋？一九一四年之前的《德文新報》，在經歷了二十餘年的坎坷發展之後，終於在異國的土地上為自己贏得了地位，走在了整個德國報業的發展前沿。當戰爭來臨，被稱為「理想的新聞人才」[22]的芬克也陷入了被迫參與政府宣傳的泥潭嗎？

那麼，本部分的研究假設可以設定為：

第一，在報導內容的選擇上，《德文新報》偏於戰爭宣傳而忽視了其它方面的內容，並大量運用德國政府的統一供稿，成為鼓吹戰爭的傳聲筒。

第二，在報導的論述傾向方面，《德文新報》丟失了過去允許不同意見發表的傳統，在其正文的文章中也不再能夠看到其它報刊的意見及本報編輯對不同意見的論證，而成為政府的宣傳冊。

二　大戰時期《德文新報》報導概況（1914-1917）

本文第四章已經對《德文新報》在大戰開始之後的狀況做了介紹。該報經過二十餘年發展改進而形成的專欄和編排格局被完全拋棄，代之以戰爭宣傳冊般的形式，版面中能夠體現報刊本質的特點喪失殆盡。雖然這一時期的刊物正文被劃分成了戰爭（Der Krieg）和東亞（OstasiatischerTeil）兩部分，但一來版面安排順序有別能夠體現重要性有先有後，二來後者只擁有可憐的版面空間，原先散佈在亞洲各地為《德文新報》撰稿的特派記者也許在戰爭爆發後都不得不另謀生路了。

---

22 上海通社：《舊上海史料彙編》（北京市：北京圖書館出版社，1998年），頁318。

　　另外，很明顯的一點是，隨著戰爭進程的前行，《德文新報》在戰爭和東亞兩部分的版面分配上也越來越不均衡，這種不均衡甚至是肉眼可以觀察到的。圖三中展現了一九一五年和一九一六年這兩部分的版面抽樣統計結果。趨勢線直接反映了兩者的變化：隨著戰爭逐漸白熱化，戰爭部分所佔版面越來越多；相比之下，東亞部分基本在五至六版左右徘徊，且在趨勢上是略有下滑的，唯有一個樣本超過了十版，即一九一六年七月九日三十年二十三期，因為袁世凱的逝世，編輯部用了近五個版面做了相關報導，以至於這一部分版面數出現了不同於常態的增長。除此之外，隨著時間的推移，東亞部分的內容也與戰爭緊密地聯繫起來。

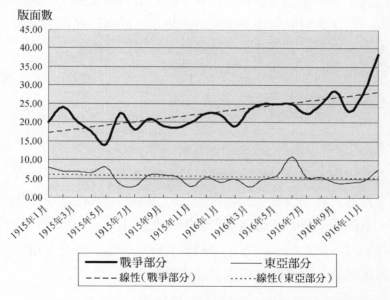

圖三　一九一五至一九一六年《德文新報》戰爭部分與東亞部分版面分配圖[23]

---

23 本圖統計中，上海消息和商業信息的正文版面未計算在內，因而戰爭部分與亞洲部分版面數之和少於正文版面總數，特此說明。

由此看來，這幾乎是上面的假設可以成立的明顯跡象和有力證據。那麼事實究竟如何呢？還是交給資料統計結果來解釋。

三　研究方法

（一）內容分析和取樣

本部分的分析統計基本採取前一章的方法，以分層抽樣和抽籤法相結合，每月抽出一期作為樣本。主要分析對象依然是每期的頭條文章。介於戰爭期間《德文新報》版面內容格局發生變化，因而每份樣本的戰爭部分和東亞部分的頭條均作為分析對象。根據前文所述德國報刊在一九一四年大戰開始後發生的巨大變化，通過對樣本的分析，來觀察《德文新報》是否也遵從了彼時德國報刊的集體變臉。

由於戰爭正式開戰的時間為一九一四年下半年，因而，一九一四年的資料將被單獨列出作一觀察。

（二）變數

在第六章中用於資料分析的變數是筆者根據一八九六年至一九一七年《德文新報》社論所呈現的總體內容而設定的，因而本部分的研究沿用前一章的十個變數，通過各個變數在樣本中出現的頻率來分析戰時該報在報導內容上的偏向性。介於前文已經作出的部分分析，本部分最為關注的必然是「戰爭相關」這一變數。

（三）主題

承接前一章版面數量分析的統計結果，本章的主要著眼點在於《德文新報》對戰爭的報導。大戰時期將戰爭作為主要報導對象本應

是很自然的事情，但是借由其它相關著述所言，彼時德國報刊在對戰爭的報導方面口徑空前一致，這就成為本部分研究需要特別注意的地方。假如《德文新報》確實與其它德國報刊一樣成了德國官方意見的傳聲筒，那麼，為了使全體德國人相信這樣口徑一致的報導，作為「喉舌」的報刊還會運用怎樣的報導技巧呢？這也將是下文將通過變數考察的問題。

（四）處理方法

　　本部分依然運用 Microsoft Office Excel 和 SPSS Statistics 17.0兩種軟體對抽樣資料進行統計分析，基本處理方法與前一章相同。但是，由於戰爭時期報導的特殊性，僅以資料統計並不足以反映較為全面的情況。因此，在對戰爭與東亞兩部分頭條內容的資料分析結果基礎之上，討論還將涉及正文中的其它部分。

四　分析結果

　　眾所週知，第一次世界大戰正式開戰是在一九一四年八月，然而，事實上，戰幕卻早在此之前已經悄悄拉開，關於一戰的著述《八月炮火》（The Guns of August）中做了精彩的講述。[24]就戰爭而言，除了那最後一根導火索，再也沒有什麼是一觸即發的了。所以，一九一四年可以看作是《德文新報》出現轉變的一年。從這一年開始，《德文新報》成了另一種模樣。

---

24 巴巴拉・W・塔奇曼撰，張岱雲等譯：《八月炮火》（北京市：新星出版社，2005年）。

（一）一九一四年

戰爭是從一九一四年下半年打響的，《德文新報》的版面格局改變為戰爭和東亞兩部分也是從一九一四年下半年開始的。因此，一九一四年下半年的樣本為戰爭和東亞部分各半，以保持分析結果相對均衡，同時又能客觀地體現這一年的內容變化情況。

表十三　統計量

	中國相關	德國相關	其它國家	世界格局	政治	經濟	文化	愛國主義	戰爭相關	軍事相關
N 有效	12	12	12	12	12	12	12	12	12	12
缺失	0	0	0	0	0	0	0	0	0	0
均值	.58	.75	.25	.00	.67	.25	.08	.08	.25	.17
眾數	1	1	0	0	1	0	0	0	0	0
和	7	9	3	0	8	3	1	1	3	2

從表十三所反映的情況來看，一九一四年《德文新報》的報導注意力開始主要集中在其本國，即德國的身上，這在一九一四年之前是未曾有過的，以德國為報導對象的頭條社論出現頻率在這一年超過了與中國相關的內容。主編芬克在一九一一年歲首的撰文中曾表示，將在未來增加歐洲尤其是德國方面的報導[25]，很顯然，對於德國在《德文新報》中顯得不夠重要這一現實，芬克作出了盡力扭轉的行動，這在前一時期獲得了明顯的成效，而戰爭的到來更是為這一努力推波助瀾。不過，一九一四年時，德國與中國兩個變數的「眾數」均為一，這就說明這時《德文新報》對中國的關注度依然較高。另外，中德兩

---

25 Der Ostasiatische Lloyd. 6. Januar 1911, S.1.

國之外的其它國家也依然佔有一定比例。從上述三者比例數相加所得百分之一百五十八的結果來看，報導對象同時在同一文章中出現的比率比前一階段更高。看起來，某個報導對象想要單獨被關注的幾率已經越來越小了。

　　各類報導內容的格局在進入戰爭的這一年也發生了一些改變。政治方面的內容依然位居首位，其次是經濟和文化，但從「均值」來看，後面兩者的出現頻率比前一時期有了明顯下降。相比之下，戰爭和軍事方面的內容出現頻率有了明顯上升。這在圖七中表現得更為清晰：戰爭相關的內容已經與經濟內容平起平坐，軍事相關的內容已經超過了文化內容在頭條中的覆蓋率。戰爭相關的內容在頭條社論中明顯增多，這顯然可以視為戰爭已經開始的訊號，而軍事相關的內容在這一年出現了前所未有的增長，這幾乎可以成為另一個前瞻性的標誌──戰爭還將擴大。

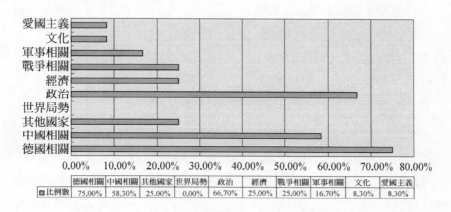

	德國相關	中國相關	其他國家	世界局勢	政治	經濟	戰爭相關	軍事相關	文化	愛國主義
比例數	75.00%	58.30%	25.00%	0.00%	66.70%	25.00%	25.00%	16.70%	8.30%	8.30%

圖四　一九一四年社論各類內容出現頻率比較圖

　　愛國主義的相關內容自始至終不瘟不火，從不會消失，也從不顯得突兀。正如前文已經論述過的，這一因素在彼時的德國報刊中一直佔有一席之地，比起其它類別的內容在不同時期的起伏轉折，愛國主

義卻一直以優雅的姿態注視著這一切，即使戰爭已經打響，也沒有露出被過度渲染的跡象。當然，這樣的結論僅止於一九一四年。以後又會如何？

（二）大戰時期（1915-1917）

戰爭的確改變了《德文新報》的面貌，表現在每期頭條內容上的變化比起版面數量的變化一點也不遜色。由於戰爭時期的版面格局已經分為戰爭和東亞兩部分，這就使十個與內容相關的變數在位置分佈上出現了分流，因此，本部分研究將戰爭部分和東亞部分的頭條分別作了抽樣統計。

表十四　統計量

	中國相關	德國相關	其它國家	世界格局	政治	經濟	文化	愛國主義	戰爭相關	軍事相關
N 有效	32	32	32	32	32	32	32	32	32	32
缺失	0	0	0	0	0	0	0	0	0	0
均值	.00	.81	.31	.03	.25	.00	.22	.34	.66	.00
眾數	0	1	0	0	0	0	0	0	1	0
和	0	26	10	1	8	0	7	11	21	0

從表十四所反映的情況來看，在這一時期《德文新報》的戰爭部分，戰爭這一主題已經毫無疑問地佔據了絕對主要的位置，而德國也自然是居於第一位的被報導對象，也就是說，關於德國在戰爭中的相關報導成了這一時期《德文新報》頭條中出現最為頻繁的內容，除此兩者之外，再無其它變數的「眾數」為一。其它國家和世界局勢也在這一時期的頭條中佔有一定比例，畢竟，戰爭不是德國自己的事情，更何況，一九一四年爆發的這場原本被稱為歐洲大戰的戰爭，後來的

名字叫做第一次世界大戰。

　　在戰爭面前，經濟已經徹底失去了地位，相形之下，政治與戰爭的相關性就要高出許多，因而也能在戰時的頭條中佔有部分版面。值得關注的是，文化內容與政治內容的出現頻率不相上下（如圖五所示）：文化的深層力量在呼召全民凝聚力中所起的作用是不可估量的，宣傳者們一定都深諳這一點。顯然，《德文新報》也沒有忽視這一溫柔卻堅韌的武器。

　　在戰爭時期，愛國主義的因素終於不再扮演若隱若現的角色，而是被報刊編輯推至宣傳的最前沿。從圖五中可以看到，愛國主義的主題不但開始頻繁出現在《德文新報》的第一位置，而且其出現頻率僅次於與戰爭直接相關的主題。這個原本神聖的語彙終於在戰爭面前放下姿態，被用作了與他國對抗的軟武器。由此看來，在一九一四年戰爭爆發之後，愛國主義與德國報刊之間的關係，與十九世紀發生在德國的狀況無異。

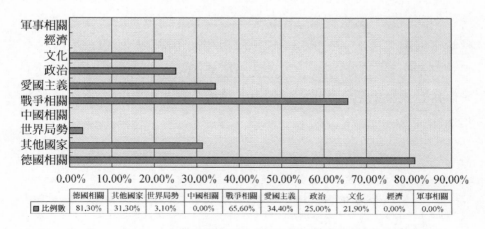

	德國相關	其他國家	世界局勢	中國相關	戰爭相關	愛國主義	政治	文化	經濟	軍事相關
■比例數	81.30%	31.30%	3.10%	0.00%	65.60%	34.40%	25.00%	21.90%	0.00%	0.00%

**圖五　一九一五至一九一七年八月戰爭部分頭條
各類內容出現頻率比較圖**

　　雖然東亞部分在戰爭時期只被給予了有限的版面空間，但值得感
慨的是，這僅有的五至六版空間卻將《德文新報》非戰爭時期的樣貌
以小見大地保留了下來。有所不同的只是缺少了德國因素和愛國主義
因素，畢竟歐戰中的德國已經無暇東顧，愛國主義自然也被從東亞帶
入歐洲戰場。

表十五　統計量

	中國相關	德國相關	其它國家	世界格局	政治	經濟	文化	愛國主義	戰爭相關	軍事相關
N 有效	32	32	32	32	32	32	32	32	32	32
缺失	0	0	0	0	0	0	0	0	0	0
均值	.94	.09	.38	.00	.84	.13	.06	.00	.13	.00
眾數	1	0	0	0	1	0	0	0	0	0
和	30	3	12	0	27	4	2	0	4	0

　　從報導對象上來看（見表十五），中國是戰爭時期東亞部分的主
角，與此同時，其它國家的出現頻率也不低，而這裏的「其它國家」
應當可以用「日本」來代替。從比例數相加所推測出的重合率情況來
看，日本與中國同時出現在東亞部分頭條的情況非常多。不得不說，
一份報刊依據重要性原則對於時事的選擇性關注往往對未來有著某種
預示性。[26]

---

26 一九一九年，《凡爾賽合約》的簽訂使得德國將在山東的權益歸還中國。（Mechthild
　　Leutner. Deutsch-chinesische Beziehungen 1911-1927. Berlin: Akademie Verlag GmbH,
　　2006: 124-126.）但是，日本的狼子野心早在一九一五年向袁世凱遞交「二十一條」
　　時便昭然若揭。德國在第一次世界大戰中的戰敗使得日本乘虛而入，將中國剛剛失
　　而復得的山東之權益竊取，這也是一九一九年著名的五四運動的導火索。（G. Zay
　　Wood. The Shantung question: a study in diplomacy and world politics. New York: Fleming
　　H. Revell Company, 1922: 137-149.）。

　　從圖六所顯示的報導對象及各類報導內容的出現頻率比較中，依
稀能夠看到大戰爆發之前芬克主編《德文新報》時期的影子（對比第
六章圖六）：政治和經濟是主要被關注的問題，文化內容所佔的比例
在前兩者面前雖然相形見絀，卻始終不失其地位。

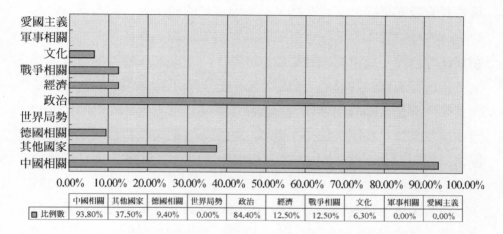

	中國相關	其他國家	德國相關	世界局勢	政治	經濟	戰爭相關	文化	軍事相關	愛國主義
比例數	93.80%	37.50%	9.40%	0.00%	84.40%	12.50%	12.50%	6.30%	0.00%	0.00%

圖六　一九一五至一九一七年八月東亞部分頭條
各類內容出現頻率比較圖

　　不可忽視的是，軍事相關的內容在大戰時期的東亞部分頭條中也
佔有相當的比例。必須承認，歐戰的確蔓延到了全世界的主要國家，
包括中國在內，這也十分清晰地表現在《德文新報》對中國報導的新
聞選擇上。甚至，就連這份德文報刊在一九一七年八月被迫停刊，也
是由於原本保持中立的中國不得不對德宣戰而直接導致的。

五　討論

　　一九一四年大戰開始後，無論是篇幅還是每期頭條的內容，《德
文新報》都是以戰爭宣傳者的姿態出現的。然而，更重要的問題在

於，這些刊載在每期刊物上的關於戰爭的文章是出自誰手呢？

　　大戰之前的《德文新報》每期刊發編輯部社論，大都出自主編之手，未有署名，主編對文章內容負責，這是十九世紀末二十世紀初階段德國報刊在編輯方面的普遍做法。大戰的爆發不僅僅改變了《德文新報》的版面格局，而且改變了該報頭條社論的作者。在本章用於內容統計的社論樣本中，沒有署名的文章寥寥無幾，應當說，這時候的頭條報導已經不能再稱之為編輯部社論了，主編的任務僅僅是將某些文章放置在頭條位置而已。值得注意的是，戰爭部分頭條的署名文章作者幾乎都是德國的知名學者、教授或新聞從業人員，他們所從事的行業涉及文學、藝術、法律、哲學、地理等。這與彼時德國本土的情況緊密相關：在一戰時期，一個不能忽視的現實是，國家所宣導的對戰爭的宣傳使得大批文人、學者都俯伏在了國家機器的面前，成為戰爭宣傳的工具，更有像 Karl Albert Paul Rohrbach[27]這樣因為戰爭宣傳而名噪一時的人物。而這個人的名字也以作者的身份出現在《德文新報》的版面中。[28]

　　這一時期，《德文新報》專設了戰況專欄（Überblicküber die Kriegsereignisse）等其它戰爭內容的報導，主要新聞來源是 Deutscher Überseedienst[29]，或者在新聞出處的位置打上了 Amtliche（官方）的標記，另外，德國國內的許多報刊文章也常常被摘錄刊載。由此看來，一個不爭的事實是，《德文新報》遵從了德國報刊的一致做法，

---

27 Karl Albert Paul Rohrbach（1869-1956），新教神學家，政治記者，旅遊作家和德國海外殖民官員。

28 Karl Albert Paul Rohrbach 的文章 Der Vater der Dinge 刊載在一九一五年八月十三日第二十九年三十一期的《德文新報》上。Der Ostasiatische Lloyd. 13. August 1915, S. 144-146.

29 一九一四年二月成立，總部設在柏林，是德國負責海外宣傳的主要機構。第一次世界大戰時出版月刊 Der Groβe Krieg in Bildern，主要在中立國家進行戰爭宣傳。

在戰爭中為政府的戰爭宣傳效力。《德文新報》曾經是各類報刊言論彙聚的地方，面對質疑或者反對意見，從不拒絕。然而，一九一四年大戰開始之後，《德文新報》的傳統專欄紛紛消失無蹤，在戰爭的版面上再也找不到不同的聲音。

　　在全德國的報刊近乎歇斯底里的時候，《德文新報》將東亞部分的版面保留下來不能不說是個奇跡。在僅有的版面空間裏，編輯部社論和偶有出現的其它報刊的意見在彼時的環境裏就顯得頗為珍貴。在《德文新報》未停刊之前，中國不是戰場，遙遠的東亞問題不再能觸動德國政府的神經，因此，關於東亞問題的討論讓這份在華德文報刊稍顯本色。在那個時候，遠離故土反倒成了幸運的事。

六　結論

　　自大戰開始之後，《德文新報》在報導內容的選擇上偏於戰爭宣傳而忽視了其它方面的內容，並大量運用德國政府的統一供稿，成為鼓吹戰爭的傳聲筒。在報導的論述傾向方面，《德文新報》丟失了過去允許不同意見發表的傳統，在其正文的文章中也不再能夠看到其它報刊的意見及本報編輯對不同意見的論證，而成為政府的宣傳冊。自此來看，本部分研究的兩項假設均已成立。

　　在戰爭面前，《德文新報》確實低頭了，但是東亞部分的存在及其報導狀況卻透露出一種報刊本真的掙扎。如果《德文新報》真的淪為國家機器的喉舌，那麼，東亞部分就完全沒有存在的必要。這甚至讓人不禁去猜測：東亞部分正是芬克為《德文新報》保留至終的本來面目。

七　進一步討論

　　如果不是大戰爆發和德國國內戰爭宣傳的要求，《德文新報》的戰爭部分就不會佔據首要位置，所以，可以認為，東亞部分的頭條社論與戰爭部分的頭條文章有著同樣重要的地位。為此，將這兩部分的頭條樣本合併作出的統計結果見表十六和圖七所示。

表十六　統計量

	中國相關	德國相關	其它國家	世界格局	政治	經濟	文化	愛國主義	戰爭相關	軍事相關
N 有效	64	64	64	64	64	64	64	64	64	64
缺失	0	0	0	0	0	0	0	0	0	0
均值	.47	.45	.34	.02	.55	.06	.14	.17	.39	.00
眾數	0	0	0	0	1	0	0	0	0	0
和	30	29	22	1	35	4	9	11	25	0

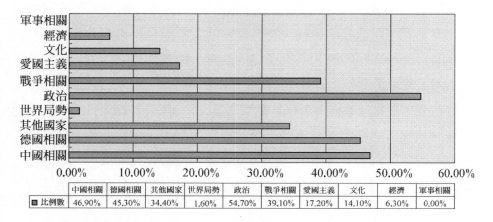

	中國相關	德國相關	其他國家	世界局勢	政治	戰爭相關	愛國主義	文化	經濟	軍事相關
比例數	46.90%	45.30%	34.40%	1.60%	54.70%	39.10%	17.20%	14.10%	6.30%	0.00%

圖七　一九一五至一九一七年戰爭與東亞部分頭條
各類內容出現頻率比較圖

　　從圖表中反映的情況來看，大戰時期的《德文新報》雖然在版面及新聞來源方面受到了德國國內報刊的影響，但是，版面有限的東亞部分卻在該報報導的偏向性方面起到了平衡作用，無論在報導對象方面還是在報導內容方面，都使這份在華德文刊物閃耀出了一些與德國國內諸多報刊不同的光輝。

　　應當講，《德文新報》始終保持著近代報刊的本色，哪怕在最後的時期，這種本色被戰爭無情的侵犯。所以，雖然前文的假設是成立的，但這份報刊在報業史中所扮演的角色還並不能就此作出定論，這確實是值得進一步揣摩的問題。

第三節　《德文新報》報導內容分析綜述

　　經歷了前期發展和充滿軍事宣傳的大戰時期，《德文新報》前後的變化使得為這份報刊的報導內容作以綜述變得十分困難。從各個報導對象和各類內容在樣本中出現頻率的角度進行分析也許並不能全面說明問題，但至少可以拋開分析報導文字細節方面的糾結，對該報在內容選擇方面的偏向作一較為客觀的展示。

　　從圖八中可以看到，中國和德國是《德文新報》頭條文章中重點關注的對象，相比之下，其它國家受關注的程度雖然不高，但也始終保持了一定的比例。政治方面的內容總是排在其它各類內容之前，經濟和文化類內容則一直是該報頭條中不可缺少的重要因素。作為報導對象，世界局勢一直都扮演著小角色，而戰爭和軍事的問題也只是在某一特定時期才成為受到關注的話題。

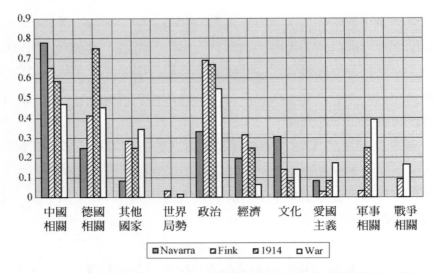

圖八　一八九六至一九一七年《德文新報》報導內容綜合圖

　　對此，表十七中以各變數出現頻率的均值和標準差來做進一步解釋。在報導對象中，「德國相關」這一變數的標準差值最大，說明這一變數的出現頻率最不穩定，很顯然，這是戰爭所致。而在報導內容的六個變數中，恰好是「戰爭相關」這一變數波動性最大。結合圖八可以看出，正是戰爭的爆發拉動了這兩個變數出現頻率的上陞。同比之下，作為報導對象的「中國相關」和作為報導內容的「政治」、「經濟」、「文化」等幾個變數的標準差值均小於零點一，波動性遠遠小於「德國相關」和「戰爭」變數。

表十七　一八九六至一九一七年《德文新報》報導內容分析綜述

變數	那瓦勒時期	芬克前期	1914	大戰時期	均值	標準差
中國相關	77.80%	65.00%	58.30%	46.90%	62.00%	0.050 034
德國相關	25.00%	41.10%	75.00%	45.30%	46.60%	0.130 506
其它國家	8.30%	28.30%	25.00%	34.40%	24.00%	0.037 414

變數	那瓦勒時期	芬克前期	1914	大戰時期	均值	標準差
世界局勢	0.00%	3.30%	0.00%	1.60%	1.23%	0.000 744 75
政治	33.30%	68.90%	66.70%	54.70%	55.90%	0.079 784
經濟	19.40%	31.70%	25.00%	6.30%	20.60%	0.034 85
文化	30.60%	13.90%	8.30%	14.10%	16.73%	0.027 836 75
愛國主義	8.30%	2.80%	8.30%	17.20%	9.15%	0.010 657
戰爭相關	0.00%	3.30%	25.00%	39.10%	16.85%	0.102 901
軍事相關	0.00%	9.40%	16.70%	0.00%	6.53%	0.019 694 75

　　綜觀所有變數，愛國主義可能是最為特別的一個，總是以不起眼的出現頻率停留在某個角落，從相關計算來看，其標準差值僅為零點零一左右，波動性不大。正如前文在分析彼時德國報業時所提到的，十九世紀到二十世紀前期的德國報業中，宣揚愛國主義這一因素一直存在，因此，即使在戰爭時期被大肆利用，也沒有顯得十分突兀。對愛國主義進行特別強調的做法本是威權主義政府對報刊進行控制的軟手段，卻在不知不覺中被德國報業消化成為一種不自覺的行為，甚至成為報業傳統中的內容。顯然，這種傳統在《德文新報》中也得到了繼承。

第八章
《德文新報》與近代中國報業

　　在資料搜集和構思寫作的最初階段，筆者並未想到會有接下來的一章內容：以《德文新報》為眼，展現彼時的中國報界。漫長的資料查考過程帶來的是大量《德文新報》關於報業問題、尤其是中國報業問題的報導文章，靠著這些文字，並不能串起一段完整的歷史，然而，這卻是重新回顧那段報刊史的珍貴文獻。

　　本章以德文報刊的在華立場作為開篇，既是對前文分析《德文新報》的回應，更是為下文從德國報人的視角觀察中國報業活動鋪設語境。除此之外，再借德國與英國之間在報業上的關係，進一步夯實近代在華外報存在多樣性這一觀點。

第一節　《德文新報》及德國在華報業立場

　　在今天的文字記錄和研究成果當中，幾乎看不到第一次世界大戰之前這段時期關於德國報業在東亞情況較為詳細的論述。彼時，德國在東亞地區的報業規模與數量均無法與英美國家相比，其出刊規模也是以小開本報刊為主。那麼，要想瞭解彼時德國報業在東亞的情況，最為貼近的資料，無疑是來自《德文新報》的敘述。筆者並不斷言該報的敘述一定是客觀準確的，但在目前的研究狀況之下，在英美及其它當時的報刊又鮮有評述德國報刊、報業的情況之下，難道還有比《德文新報》本身更有說服力的資料嗎？

一 那瓦勒主編時期《德文新報》的立場

自十九世紀中期開始，以《泰晤士報》為代表的英國報界便開始力求做到「出版的首要責任是最早和最準確地獲取這一時間的消息」[1]，到十九世紀末，盡可能為讀者提供新鮮及時的新聞報導已經逐漸成為英美新聞業的主流。

前文已經提到過，《德文新報》作為日報發行不久便改為周報出刊，這在新聞報導的時效性上必然無法與當時的英美報刊相比。然而，無論從版面規模[2]還是發刊頻次，在當時看上去都並不強大的《德文新報》卻呈現出底氣十足的態勢。因為，在那瓦勒主編時期，他就已經對這一問題有了清楚的認識，在該報創刊十週年之際，這位時任主編寫道：「又是一年創刊紀念時。十年來，我們的刊物自始至終伴隨著德國在遠東地區的發展；所有極具重大意義的事件，我們都予以關注；作為周報，我們必然不能做到每天都為讀者呈上最新的消息，但是我們一直努力嘗試以大眾的視角對一周來所發生之事做出迅速的判斷，並抓住這些稍縱即逝的新聞事件背後的永恆真理，以饗讀者。」[3]包括那瓦勒在內，《德文新報》的辦報者們並非不懂得第一時間為讀者送出最新消息的重要性，然而，正如前文已經推證過的，該報在創刊之初便是以日刊發行的，但並不成功。就在華外文報刊這一領域而言，在《字林西報》面前，《德文新報》該如何生存下去？「一份周報的內容，是與日報不同的；除了定期的記錄下所有重大事件之外，其最重要的工作在於對所發生之事件發表評論，並對新近發

---

1 凱文·威廉姆斯撰，劉琛譯：《一天給我一樁謀殺案：英國大眾傳播史》（上海市：世紀出版集團，上海人民出版社，2008年），頁73。

2 《德文新報》採用四開版面，每版大小只及對開出版的《字林西報》二分之一。

3 Unser Standpunkt. Der Ostasiatische Lloyd. 2. Oktober 1896, S.68.

生的大事件進行分類整理。」[4]那瓦勒此言即是對《德文新報》刊載
內容特點的精闢總結，在初期的坎坷經歷過去之後，該報正是以這樣
的方式逐漸在彼時的中國外文報刊領域站穩了腳跟。因而，在這篇題
為〈我們的立場〉的編輯部文章（Haupt-Artikel）中，那瓦勒不無深
情地表達了《德文新報》的宗旨：為讀者展示發生在遙遠的異國他鄉
的事情——關於德國人的懷鄉、奮鬥和生活，還有其它多樣性的人和
事；同時，當有威脅到德國利益的情況出現時，以書面報導的形式對
此作出謹慎的提醒，也是該報的重要責任。毫無疑問，《德文新報》
十年來堅持的唯一目標就是維護德國的國家及其公民利益。[5]

　　作為一份德文周刊，《德文新報》的讀者必然是極為有限的，在
遠東地區從事商業等活動的德國人正是其最主要的受眾群。多年來相
對固定的受眾群體也使得該報與其讀者之間的關係與其它較為大量發
行的在華外報有所不同。相比之下，《德文新報》對讀者的態度總是
更顯謙虛謹慎。那瓦勒坦誠地表示，編輯部完全明白自身所處的報業
競爭環境和工作難度，由此所導致的《德文新報》中的不足也是不能
迴避的，在這諸多缺點面前，正是讀者給予的寬容支撐著該報一直發
展至今。[6]《德文新報》堅持維護海外德國人的利益及其個人自由，
無論是在商業活動中，還是在知識和思想中，該報認為，「只要是經
過深思熟慮並符合道義的，每種觀點都是應當被維護的」。[7]

　　在那瓦勒主編時期，《德文新報》的立場明確而堅定——所有的
一切都是為了將德國人團結起來，維護自身利益。「只要有理想，我
們就為之奮鬥，無所懼怕；遠在異國他鄉，即使我們的鄰國對我們有

4　Unser Standpunkt. Der Ostasiatische Lloyd. 2. Oktober 1896, S.68.

5　Unser Standpunkt. Der Ostasiatische Lloyd. 2. Oktober 1896, S.68.

6　Unser Standpunkt. Der Ostasiatische Lloyd. 2. Oktober 1896, S.68.

7　Unser Standpunkt. Der Ostasiatische Lloyd. 2. Oktober 1896, S.68.

不恥之言，即使與他們產生分歧或受到他們敵視，我們也有足夠強大
的力量去應付他們！我們要學習著去依靠自己的力量——並且避免缺
點！」從主編激昂且飽含深情的文字中，不難體會到那種雖然遠在異
國他鄉卻始終心向祖國的赤子之心。那時候的德國報業中還並沒有像
英美報業那樣宣揚報導的客觀性原則，那瓦勒筆尖流淌出的文字依然
帶著明顯的德國報人的風格。

二　芬克主編時期《德文新報》的立場

　　正如前文所論述過的，作為職業報人，芬克比那瓦勒更具有專業
性，進入二十世紀之後，德國本土報業開始發生變化，與此同時，遠
在中國的《德文新報》，身處各國報刊雲集的上海已經十年有餘，在
這時也開始發生了變化。該報為遠東地區德國人利益服務的宗旨沒有
變，但表達愛國之情的方式的確已有不同，不再是通篇充滿富有感情
的話語，而是漸漸變為用事實說話。

（一）宗旨

　　《德文新報》自創刊之初就是為拓展德國人在東亞地區的利益而
服務的。這一宗旨在芬克接任主編一職之後更加明確。作為具有專業
能力的報人，芬克更懂得利用報刊的功能去推動德國人利益的實現。

　　在《德文新報》的諸多文章中，無不透露著該報編輯部對祖國海
外利益的強烈責任感，這已經完全超出了一份報刊的責任。而這也正
是《德文新報》區別於其它在華外報的明顯特點。該報擅長於撰寫解
釋性文章，並且直言「這些文章的主要目的就是盡可能地維護祖國的

利益。」[8]然而，這種責任感並不僅僅體現於那些解釋性文章的言詞中。德國人在東亞的利益是在與其它西方國家的競爭中獲得的，這其中，商業利益是最為明顯的成績體現。剛進入二十世紀的最初幾年，德國人在東亞的實力尚不佔優勢，英國人依然遙遙領先。《德文新報》的一位讀者敏銳地看到，「根據在東亞多年的經驗，英國人總是有辦法獲得有價值的專門知識，著重地為商人服務；我在這裏能讀到許多關於商標法的，關於商約的，以及關於貨幣問題的出版物，都是專門為英國商人量身打造的。」[9]在認識到這一點之後，這位德國人便捫心自問：我們這些精力充沛的德國人啊，在獲得了個人的經濟利益、實現了自己的目標之後，難道不應當為以後到來的同胞在掃清商業障礙和貿易壁壘方面做點什麼嗎？而《德文新報》正是討論這一問題的最好平臺，那些獲得成功的同胞可以藉此將自己的經驗分享出來。[10]《德文新報》的角色已經不僅僅是德國僑民交流的平臺，交流所帶來的凝聚力是無形的。

8　Die Behandlung wirtschaftlicher Fragen im „Ostasiatischen Lloyd". Der Ostasiatische Lloyd. 7. Juli 1905, S.26.

9　Die Behandlung wirtschaftlicher Fragen im „Ostasiatischen Lloyd". Der Ostasiatische Lloyd. 7. Juli 1905, S.26. 這是引自《德文新報》刊載的一篇讀者來信文章，在文章結尾，該報編輯這樣說：「無須多言，我們需要這樣的來信，我們的刊物非常重視這樣的文章，並隨時為其保留版面。定期或不定期地與這樣的作者合作，是我們的刊物應當為之努力的，我們的版面上不應缺少這樣的文章；當然，這一點現在尚未實現。希望將來情況會有所不同，正如上文的作者最後寫道的那樣，我們不會放棄。」這正代表了《德文新報》的一貫態度，只要是針對德國人在東亞的利益問題的討論，一定給予充分的重視。編輯部所選登的讀者來信文章一般都是呼籲維護和爭取德國人利益的，這也正是借讀者之口來表達報刊的觀點，因而編輯部的態度由此可以一目了然。值得一提的是，寫作該文章的讀者明確表示：「我認為我所討論的這個問題意義深遠，就此，我有責任將自己的想法表達出來」。這種帶有明確責任感的態度正是許多《德文新報》讀者的代表。

10　Die Behandlung wirtschaftlicher Fragen im „Ostasiatischen Lloyd". Der Ostasiatische Lloyd. 7. Juli 1905, S.26.

（二）東亞的德國報刊

　　「東亞的德國報刊」作為一個固定的話題，在芬克主編《德文新報》時期，曾多次出現過。總體而論，這個話題總是與東亞地區德國報刊訊息源的獨立分不開。眾所週知，十九世紀，英美報刊是全世界報刊中無可爭議的佼佼者，路透社更是一度扮演著在華外報唯一消息來源的角色。但是，技術的變革與進步對於每個國家都是平等的，一八九九年無線電通訊技術的問世讓英國人的優勢逐漸散去。至少，可以肯定的是，德國人對這一刻的到來早已望眼欲穿。正如前文已經論述過的，自一八九九年開始，《德文新報》不再使用路透社電訊稿，而是組織了自己的新聞採編團隊，自主獲取消息，成為新聞源。報刊天生就是帶著立場而存在的，也只有新聞源獨立的報刊才能真正站穩自己的立場。必須承認，《德文新報》邁出了德國海外報業的一大步，這必然也意味著德國報業的進步。但是，面對自己本國的新聞源，德國本土報刊對此卻並無歡欣，反而讓《德文新報》感到無比失望：德國報刊似乎習慣了使用別國的新聞源，而不去選擇與自己立場更為一致的發自《德文新報》的消息。問題是，德國報刊對新聞源的選擇並非出於客觀、公正的初衷。難怪《德文新報》直言抱怨道：「令人不可思議的是，一旦要報導關於倫敦或紐約的消息時，德國報刊總是喜歡一味地從國外媒體上去獲取那些愚蠢的消息。再例如，這些日子，德國相當大部分的報刊在報導東亞問題時，又將自己的訊息源鎖定在西伯利亞的一些報刊上。」[11]

　　前文已經論述過，芬克曾經為自己的記者團隊能夠遍佈東亞各個國家和地區並在第一時間獨立獲取和報導重要新聞事件而歡欣鼓舞。然而，《德文新報》的成績卻被其本土報刊嚴重地忽略了。《德文新

---

11 Die deutsche Presse und Ostasien. Der Ostasiatische Lloyd. 9. Dezember 1910, S.559-561.

報》針對一九一○年十一月的一次中國人抵外運動的報導做了闡述。當時德國本土的報刊大都轉引了別國的報導，僅有《法蘭克福報》（Frankfurter Zeitung）[12]等少數報刊採用了德國電訊社的消息。《德文新報》指出，「關於亞洲的報導，德國報刊可以找到比英國和美國的報導更迅速、更優質的新聞源，與美英的新聞相比，德國電訊社的消息更為冷靜和客觀，德國報刊完全可以直接採用自己國家電訊社發自海外的報導。」[13]這是否有貶低英美同行的嫌疑暫且不談，至少有一點，《德文新報》說得是合理的，那就是，不同報刊對同一件事情進行報導，總是從自己的立場出發的，其報導的側重點和角度自然會偏向於自己的國家，很顯然，英國人或者美國人絕不會站在德國人的立場上去寫新聞。正如《德文新報》所言：「德國報刊上所轉載的關於亞洲的消息，即使是正確的，但終究還是間接的。……德國報刊過多地使用外文刊物的材料了；對此問題，應更加謹慎對待才是。從長遠來說，採用德國新聞源作為第一手消息才是最優之選。你們可以相信，海外的德國記者們的眼球始終追隨事件的發展，他們會將所有重要的事件真實地報導出來，他們也知道什麼是最有報導價值的內容。」[14]因此，既然德國人自己的記者已經衝鋒在事件發生的第一線，那麼，面向德國讀者的本土報刊又有什麼理由拒絕優先選擇自己國家的新聞源呢？在這一點上，英美報刊顯然更加成熟，難怪《德文新報》要反問道：「同樣是關於海外消息的報導，你在英美報刊的版

---

12 《法蘭克福報》（Frankfurter Zeitung）創刊於一八七一年，一戰前及戰爭期間主張歐洲和平，是少數德國民主派報刊之一。一九四三年被希特勒禁刊。由於該報被禁後的許多記者後來都成為創刊於一九四九年的《法蘭克福彙報》（Frankfurter Allgemeine Zeitung）的元老，因此該報被認為是《法蘭克福彙報》的前身。

13 Die deutsche Presse und Ostasien. Der Ostasiatische Lloyd. 9. Dezember 1910, S.559-561.

14 Die deutsche Presse und Ostasien. Der Ostasiatische Lloyd. 9. Dezember 1910, S.559-561.

面上如何能找到它們轉載德國報刊的消息？」[15]

如果德國本土報刊對德國在東亞的新聞採編團隊的專業素質有所懷疑，《德文新報》編輯部一定不會接受，因為「在東亞的大多數德國記者，至少是在中國的德國記者，他們的專業素養與其英美同行一樣出色，甚至更好，相比之下，德國記者們更能夠由現象至本質，深入瞭解外國的國民生活。雖然德國記者們佔有的資源要少於其英美同行，但是，針對這方面的不足，他們會通過細緻深入地瞭解事件本身、掌握語言的優勢以及自身的勤奮努力來彌補。⋯⋯在東亞工作的德國記者們無一例外地都能掌握流利的英語，因而他們也都在以另一種方式關注著東亞出版的英文刊物的報導，這就使英美記者在語言上又比德國記者遜色一籌。通過個人關係，德國記者們在大多數情況下還能從英美記者那裏得知他們要在報刊上報導什麼。⋯⋯多年來，德國駐海外的記者盡職盡責，引導讀者關注其供職的報刊，他們能夠從倫敦、紐約或是巴黎發來的那一丁點又帶有傾向性的消息中當場抓住問題的關鍵，並憑藉超強的記憶力，以簡潔的電報文稿將轟動性事件報導出來。」[16]《德文新報》在此刻意忽略了英美記者的長處，但也必須承認，德國記者們的這些優勢的確為英美記者所不及。

同時，本文所論述的內容中已多次證明，《德文新報》立場明確，但不偏激，並且始終堅守新聞原則，即使在與英美報刊形成競爭的情況下，也不忘強調，「如果在英美報端出現一些轟動性的新聞，而德國報刊中卻沒有報導，那是因為，一般情況下，為保險起見，對於那些不確切的、不正確的或是不完整的消息，德國報刊是不會考慮將其放入可以報導內容的範圍內的。對我們而言，第一時間迅速報導新聞永遠不會凌駕於新聞的準確性之上。⋯⋯對於來自各方面的消

---

15 Die deutsche Presse und Ostasien. Der Ostasiatische Lloyd. 9. Dezember 1910, S.559-561.
16 Die deutsche Presse und Ostasien. Der Ostasiatische Lloyd. 9. Dezember 1910, S.559-561.

息，無論是外國通訊社傳來的第一時間最新消息，還是國內編輯們為滿足公眾知曉願望而考慮報導的那些聳人聽聞的事件，其可靠性永遠是我們要把握的重點。」《德文新報》直言不諱地表達了對英美報刊報導準確性的不信任。另外，還不能遺漏的一點是，十九世紀末二十世紀初那段時期，偏於政論性文章的德國報業與傾向於不加評論的客觀報導的英美報業，在這一專業立場上的對立是不能消融的，對於英美所宣導的客觀報導，德國報刊的態度是，「他們毫無批判的報導，既不對德國讀者的胃口，也不是我們德國刊物的作風。」[17]由此看來，德國報刊引用英美新聞源，的確存在著諸多的不適宜，《德文新報》的分析合乎情理。

然而，對待這一問題，德國本土報刊的做法並沒有在短期內令《德文新報》感到安心，以至於在後來又出現了這樣的提醒：

「所有關於中國及東亞的新聞，只要是來源於北美報刊的發自紐約的消息，以及涉及瘟疫災害的消息，均應謹慎報導。我們設在上海的如《德文新報》這樣非常熟悉中國國情的報刊已經反覆提醒，應謹慎使用那些來自北美及英國的轟動性新聞事件的報導，但令人感到惋惜的是，德國媒體太輕易地就引用了這些消息，卻對德國電訊社及個別德國報刊的報導沒有給予足夠的重視。借由這些來自北美的聳人聽聞的消息而給德國帶來不必要的騷亂，這種情況並不少見，甚至使德國在東亞的事務遭受破壞。但願將來德國的報刊能夠重視《德文新報》的誠懇提醒，放棄引用來自北美報刊的關於東亞的新聞消息，那些報導都是不加批判的，在大多數情況下還是錯誤的、添油加醋的和誇張的。」[18]

---

17 Die deutsche Presse und Ostasien. Der Ostasiatische Lloyd. 9. Dezember 1910, S.559-561.
18 Die deutsche Presse und Ostasien. Der Ostasiatische Lloyd. 31. März 1911, S.314.

　　儘管如此，有一點是不會變的，「德國新聞人將滿懷信心和熱情投入工作，時刻準備著，為推進祖國的發展而盡職，為維護德國人的利益奮鬥。」[19]

（三）受眾

　　由於構成《德文新報》主要受眾群的是在遠東地區的德國僑民，而該報立場又明確是為這個群體服務的，那麼，與讀者之間的溝通與互動便成了該報運作的重要組成部分。在每年的歲首年終，編輯部都會在刊物的重要位置向讀者表達感謝。然而，報刊進入大眾化閱讀時代之後，發行量就成了每家報刊不得不重視的問題。「十九世紀末和二十世紀初，大規模發行量的報紙卻需要以犧牲獨立的政治評論為代價」[20]，不過，《德文新報》不在此列。雖然沒有明確發行量的記錄，但在《德文新報》的發展歷程中，這的確不是一項可以為之稱道的內容。在徵訂方面，編輯部定期更新訂閱信息，附贈徵訂卡片，相關工作面面俱到，雖然無法與其它英文報刊相比，但卻從未放棄努力。必須明確的一點是，《德文新報》並非苛求發行量在數字上的成績，而是希望盡力爭取自己的同胞成為其讀者對象。

---

19 Die deutsche Presse in Ostasien. Der Ostasiatische Lloyd. 24. Mai 1912, S.456.

20 凱文‧威廉姆斯著，劉琛譯：《一天給我一樁謀殺案：英國大眾傳播史》（上海市：世紀出版集團，上海人民出版社，2008年），頁69。

圖八　一九一〇年年末《德文新報》徵訂卡片

　　一九〇九年年終，在《致讀者》的文章中，編輯部對多年來重視訂閱刊物的讀者表達了感謝，同時指出：「在東亞地區，我們的讀者大都是多年的老訂戶，令人悵然若失的是，我們的讀者圈子缺少新面孔。」[21]對此，編輯部相信：「如果能向大眾遞送出征訂邀請及樣刊，那就一定能爭取到一些新的訂戶。」[22]儘管報刊的發行部一直未停止過樣刊發放，「但是，所能獲得的有效遞送地址的比率卻並不高」。[23]因此，編輯部在《致讀者》的文章中向讀者發出緊急呼籲：「希望大家能夠在各自的交往圈子裏推介宣傳《德文新報》。對於您為我們提供投送位址，我們表示感謝，但請您隨時通知我們所需要的樣刊數目便是。」[24]關於訂閱價格，發行部也早已做足工作，「最近幾年，我們的刊物已經在成本方面做了努力，不會提高訂閱價格」。[25]雖然上述的

---

21 An unsere Leser. Shanghaier Nachrichten. Der Ostasiatische Lloyd. 31. Dezember 1909, S.393.

22 An unsere Leser. Shanghaier Nachrichten. Der Ostasiatische Lloyd. 31. Dezember 1909, S.393.

23 An unsere Leser. Shanghaier Nachrichten. Der Ostasiatische Lloyd. 31. Dezember 1909, S.393.

24 An unsere Leser. Shanghaier Nachrichten. Der Ostasiatische Lloyd. 31. Dezember 1909, S.393.

25 An unsere Leser. Shanghaier Nachrichten. Der Ostasiatische Lloyd. 31. Dezember 1909, S.393.

推廣方式都是一般報刊所常用的，但之於《德文新報》，意義卻有不
同，因為該刊針對的始終都是德國人。因此，編輯部強調，「這份東
亞地區代表德國人利益的大型刊物，是海內外德國人都可以讀到的，
如果不能獲得來自各個方面的支持，那麼，在未來，要維持以前的價
格就不太可能。這種支持，換言之，也就是我們的訂戶群擴大的問
題，事關本報的生存。」[26]很明顯，《德文新報》編輯部並不在意別國
的讀者是否訂閱，因為他們所站的立場始終是維護德國人的利益。
《德文新報》為德國人不遺餘力地服務，相應地，該刊也需要自己的
同胞有所回應，至少在刊物的訂閱上不會太吝嗇。然而，事實情況卻
是，「一個訂戶背後往往是數個甚至更多的讀者。這種狀況在上海尤
為明顯」。[27]可以推測，幾乎每一個在上海的德國人都會閱讀《德文新
報》，但這並不意味著必須自己訂閱。這樣的回答順理成章：「是啊，
我們為什麼要自己訂閱呢，我們辦公室裏有《德文新報》呢。」[28]就
是如此，在上海的德國公司會訂閱，德國總會（Club Concordia）[29]也

---

26 An unsere Leser. Shanghaier Nachrichten. Der Ostasiatische Lloyd. 31. Dezember 1909,
   S.393.
27 An unsere Leser. Shanghaier Nachrichten. Der Ostasiatische Lloyd. 31. Dezember 1909,
   S.393.
28 An unsere Leser. Shanghaier Nachrichten. Der Ostasiatische Lloyd. 31. Dezember 1909,
   S.393.
29 關於德國總會，一九三六年發行的《上海研究資料》中有專門篇章做了描述如下：
   「德國總會有它悠久的歷史。上海的德僑，在一八六六年，就有德國總會的組織，
   取名 Concordia，會員有九十光景，會址係租借一個名叫澂洛勃斯脫（Probst）的房
   子，在福州路南，福建路和山東路之間。到一八八〇年，因為想實行設立總會圖書
   室的計議，於是搬了家，在四川路與廣東路轉角地段，另租了一所房子，這樣，一
   直到了一九〇七年。
   到一九〇七年，才在仁記路外灘自建新屋（就是上面那所「大廈」）。自建新屋的計
   劃本來在一八九六年的會員大會上就已經提出，但未通過。過了三年，總會會員覺
   得房子非造不可，乃舉出了一個建（491/492）屋執行委員會來專門計劃這件事，總
   會會長斯丹泊海列厄斯（Stepharius）更是不遺餘力地主持進行，可是，終因厄於經

會訂閱，「在一間辦公室裏，可能是六個、也可能是十個人在閱讀同
一份刊物，更不用說德國總會了。」[30]無論是報刊、公司、商店還是
俱樂部，同為德國人的組織，報刊以少量的人手服務了其它組織眾多
的人，其得到的回應僅僅是以組織為單位的訂閱量，對於這種明顯不
對等的相互支持，《德文新報》編輯部毫不掩飾地表達了不滿：「一個
公司，在其它用途上浪費了大量的錢財，而在訂閱一份刊物上，卻要
精打細算，生怕在訂閱費上多花一分錢，要知道，這份刊物是德國人
來到遠東地區的開路先鋒。坦率地講，這讓我們十分難過。對於諸多
德國人、尤其是上海的德國人來說，這必然不是益事。如果所有的讀
者都能成為我們的訂戶，那我們就可以滿有信心地展望未來，精神飽

濟的緣故，建屋計劃，仍不得不暫時放棄。次年，龍特脫（Lundt）繼任為總會會
長，重提這建屋計劃。這時，經濟上的困難已經克服，全盤計劃亦經會員特別大會
核准，但對於選擇位址一事，卻又煞費苦心，不容易解決。最後，始在仁記路口外
灘，獲得老行 Messrs Gibb, Livingstone and Co.所在的一塊地，該地當時為上海地產
公司的產業。地買好，就設了頭、二、三名的獎額，招請建築師設計新屋圖樣，估
計建築工程。第一名獎，為一個名叫做倍苟（H. Becker）的建築師所得，總會就採
用了（轉下頁）也會訂閱，「在一間辦公室裏，（接上頁）他的圖樣，叫他在所買的
地上建造一座三層樓德國文藝復興時代樣式的房子。工程馬上開始，由普魯士王子
阿特爾勃脫（Adalbert）於是年八月二十二日親臨豎立基石。經了兩年半的建築，
總會新屋方始於一九○七年二月四日完工。
……
總會新屋開幕的一天很熱鬧，甚至有向街上散錢的盛舉，有照為證，可惜不能附刊
在這裏。
當時會員，已增至五百四十，內中的二百二十，係不住在上海。從此以後這巍然的
新屋（德國總會）不僅是變成了一個德僑的中心，而且同時也是含有世界性質的一
個交接聚樂的所在，因為它自詡擁有不少別國人來做會員。
可是歐戰發生，劫難繼來，一九一七年八月十四日，中國對德奧宣戰，八月十七
日，上海交涉員蘇福懋奉令封閉此黃浦灘二十二號之堂皇的德國總會，並於是年十
二月內會同荷蘭駐滬領事，啟封估價，鑒定接管。」參見：上海通社：《德國總會
小史》，《上海研究資料》（上海市：中華書局有限公司，1936年），頁491-493。

30 An unsere Leser. Shanghaier Nachrichten. Der Ostasiatische Lloyd. 31. Dezember 1909,
　S.393.

滿地完成工作，而不用為每天的生計而擔憂。」[31]可以說，《德文新報》並不是完全在按報刊運作的規則辦事，德國人的利益才是其存在的理由。

除了爭取更多的訂閱量，《德文新報》還注意到酒店這一場所，同一般的公司、俱樂部一樣，這裏也會提供報刊。有所不同的是，出入酒店的人員不像公司或俱樂部那樣相對固定，這裏往往聚集了不同國別、不同語言文化背景的住客，因而也就有可能提供多樣的報刊。《德文新報》提到了設在大連的山本酒店（Yamamoto-Hotel）的情況，在該酒店，「按照報刊的國別來分，英國報刊與德國報刊的閱讀率是平分秋色的。然而，在大連，並沒有哪家酒店主動去訂閱一份德文報刊，大多數酒店都會選擇訂閱英文報刊。」[32]原因何在？「事實上，對（酒店）管理層而言，訂閱這份或那份報刊是沒有區別的。只因為英國人都會在其所停留之處要求提供英文報刊。」[33]擺出這一事實的指意便是，即使像《德文新報》這樣的德國報刊是存在的，也沒有幾個來到東亞地區的德國人有意識要求酒店提供一份自己國家的刊物。《德文新報》不無調侃地說，「德國人若是避免在那些沒有提供德文報刊的酒店住宿，那也算是成功的。」[34]然而，其實際的願望卻也再明顯不過了：「所有的德國住客都一再提出要求自己所住宿的酒店提供德文報刊，那就成了。」[35]只不過，事實總與理想存在差距，作為東亞地區排在首位的德文報刊，《德文新報》編輯部只能唏噓感慨，在向酒店要求訂閱報刊這件事上，英國人成功了，德國人做得卻

---

31 An unsere Leser. Shanghaier Nachrichten. Der Ostasiatische Lloyd. 31. Dezember 1909, S.393.

32 Deutsche Zeitungen in Ostasien. Der Ostasiatische Lloyd. 28. November 1913, S.492.

33 Deutsche Zeitungen in Ostasien. Der Ostasiatische Lloyd. 28. November 1913, S.492.

34 Deutsche Zeitungen in Ostasien. Der Ostasiatische Lloyd. 28. November 1913, S.492.

35 Deutsche Zeitungen in Ostasien. Der Ostasiatische Lloyd. 28. November 1913, S.492.

沒那麼好。……在遠東地區德國人所居住的酒店裏很難見到德國報
刊。[36]「天津利順德飯店（Astor House）的讀者閱覽室提供了種類豐
富的德國報刊和雜誌，卻只能算是個例外」[37]，《德文新報》對於這一
點還是有清楚的認識的，而這個例外代表的正是《德文新報》編輯部
所期待的理想狀態：「如果東亞地區的德國人和那些周遊世界途經此
地的德國人都堅持要求他們下榻的酒店提供德文報刊，那麼情況則很
快就會有所改變。像《德文新報》這樣的周刊，不僅報導東亞事務，
還在其電報消息、『柏林通信』及其它專欄中報導世界大事，就很適
合做此用途。」[38]

　　在英美報刊已經進入商業化運作、通過刊載廣告來解決報刊開銷
的時候，《德文新報》還在靠爭取訂戶來維持生存，經濟上陷入窘境
就在所難免。然而，根據前文對該報的廣告作出的分析，可知《德文
新報》並非缺乏廣告客戶，而是將自己全部的廣告版面貢獻給了德國
同胞，並為此專門設立廣告部，有專人負責，只不過，在這裏登載廣
告不是盈利的手段，而成了維護德國人利益的一種方式。當然，編輯
部並非不懂得報刊與廣告的關係，也許只有等到訂閱量依然無法拯救
報刊開支的情況下，才會考慮正常運作廣告來盈利。一九一四年四月
十日的《德文新報》中有這樣一篇文章，題為《報刊與報刊讀者》，
該文是借由《紐約國家雜誌》（New YorkesStaatszeitung[39]）中的一篇

36　Deutsche Zeitungen in Ostasien. Der Ostasiatische Lloyd. 28. November 1913, S.492.

37　Deutsche Zeitungen in Ostasien. Der Ostasiatische Lloyd. 28. November 1913, S.492.

38　Deutsche Zeitungen in Ostasien. Der Ostasiatische Lloyd. 28. November 1913, S.492.

39　該雜誌名稱「New YorkesStaatszeitung」為《德文新報》原文中的寫法，推測應是
　　New Yorker Staats　Zeitung，該刊物是一份在美國出版的德文周刊，一八三四年由
　　德國移民者創辦。一八四五年，雅可布・烏爾（Jacob Uhl）買下了這份發行量並不
　　大的周刊，時任主編為古斯塔夫・阿道爾夫・諾曼（Gustav Adolph Neumann）。經
　　過雅可布・烏爾與其妻安娜・烏爾（Anna Uhl）及兒子愛德華・烏爾（Edward
　　Uhl）幾代人的經營，該刊由周刊發展為日刊，並在十九世紀七〇年代成為發行量

文章而引出討論的。可以看出，大洋彼岸的德僑報刊同《德文新報》
一樣，沒有按照報刊運作規則來處理廣告事宜，同時也在抱怨讀者在
訂閱報刊方面的吝嗇：「很多精明的德國人甚至認為，他們向自己所
參加的德僑協會繳了會費，就等於是獲得免費閱讀報刊的機會。」[40]

　　德僑報刊為自己的同胞服務，德國人卻並不用心買帳。不過，即
使經濟拮据，報刊還是要辦下去，因為德國人太需要這份刊物了，為
德國人利益服務的立場始終沒有改變。如果可以推測的話，《德文新
報》編輯部可能會在一九一四年四月十日刊發過這篇文章之後，考慮
在一定限度下使用廣告盈利。但歷史沒有如果，一九一四年下半年開
始，《德文新報》再也沒有機會以慣有的方式為自己的同胞服務了。

（四）新聞業務

　　十九世紀末二十世紀初的時候，新聞業的專業性越發明顯地表現
出來。眾所週知，那是一個英美報業領跑的時期，而事實上，這種優
勢在新興強國的衝擊下，已經逐漸開始變得不明顯。一九〇八年，在
柏林召開了第十二屆國際新聞界大會（die Internationale Pressekon-
gress），《德文新報》藉此機會報導了這次「對整個新聞界聲望與意義

可與美國主流英文報刊不相上下的主流刊物。然而，到一九〇〇年，該刊易主到赫
爾曼‧裏德爾（Herman Ridder）之後，逐漸走到了邊緣報刊的位置。一九五三年，
從裏德爾家族被再次轉手至施托爾（Steuer）家族，並從日刊重回週刊。這份刊物
最後一次被轉手是在一九八九年，收購人為傑斯‧勞（Jes Rau）。《德文新報》此篇
文章的發刊時間為一九一四年，即這份曾經輝煌一時的美國德僑報刊已走到邊緣地
帶，正如《德文新報》的文章中所言，「《紐約國家雜誌》刊載了一篇非常有啟發意
義的文章，是關於報刊讀者與報刊之間關係的，這就證明，在大洋彼岸的德僑報刊
與我們有著同樣的痛苦。」Zeitung und Zeitungsleser. Shanghaier Nachrichten. Der
Ostasiatische Lloyd. 10. April 1914, S.112-113.

40 Zeitung und Zeitungsleser. Shanghaier Nachrichten. Der Ostasiatische Lloyd. 10. April
1914, S.112-113.

都極為重要的會議」[41]，並在該篇報導中闡述了德國新聞業的今昔狀況：「有相當一些來柏林開會外國記者都會帶著這樣的想法，會認為柏林的報業環境很差。也要承認，這種看法放在二十年前還是有根據的。然而，在過去的二十年中，德國報業蓬勃發展，不僅如此，在威信、影響及地位上都取得了勝利。……本次大會還呈現出一個獨特的現象，那就是德國新聞界對德國公共生活的各個方面都具有直接的積極意義。」[42]同時，德國時任領導人首相比洛（Fürst Bülow）等也就此表態，認為「應對新聞界的責任及地位予以充分的認同」。[43]《德文新報》認為，「這種肯定並非是浮於表面的客套和形式，而是發自內心的，這一切都表明，德國的新聞從業者們著實是迎來了自己事業的春天。」[44]作為一份在遠東地區出版的外文報刊，《德文新報》具有明確的國籍，其所依託的大環境是德國報業，因而其本國報業的狀況與該報本身有著必然直接的聯繫，這是不能迴避的事實。

（五）報刊印刷

報刊的印刷問題一般是不會與報刊立場扯上關係的。然而，在《德文新報》這裏卻別有一番意義。早在一八九七年，時任主編那瓦勒就曾經在論及德國在海外創辦各類實業的一篇文章中提到，「在上海缺少一個我們本國的印刷企業，這影響到《德文新報》未來的出版

41 Die Internationale Pressekongress in Berlin. Der Ostasiatische Lloyd. 16. Oktober 1908, S.742.

42 Die Internationale Pressekongress in Berlin. Der Ostasiatische Lloyd. 16. Oktober 1908, S.742.

43 Die Internationale Pressekongress in Berlin. Der Ostasiatische Lloyd. 16. Oktober 1908, S.742.

44 Die Internationale Pressekongress in Berlin. Der Ostasiatische Lloyd. 16. Oktober 1908, S.742.

發行。我們還記得本報於一八八六年創刊時的煩惱。那時，只能依賴
中國的排字工人和印刷工人，對照著拉丁字母表逐字地去排版。努力
終獲成功，我們那些受過專門訓練的中國排字工人，即使用於排版的
報刊稿件是一些字跡潦草的手稿，他們還是能夠近乎完美地照排德
文。過去十多年中，《德文新報》的印刷都要依賴於英國人的印刷
廠，我們（編輯部）及我們尊敬的讀者們都一再流露出的一個強烈願
望——希望看到我們的報刊從德國人自己的印刷廠中印刷出來。如果
有哪位德國企業家願意在上海開辦印刷廠，我們的刊物必將是其第一
個客戶。」[45]按照商務邏輯來運作的報刊一般只會考慮印刷成本問
題，但《德文新報》並不如此。德國人更在意的是自己的同胞沒有在
中國的印刷行業中佔有一席之地，否則，這些利益自然要落入別人的
口袋。何況，德國人在中國並非只有《德文新報》需要印刷，上海的
數十個德國企業，乃至全中國的德國企業，都有印刷業務的需要。而
作為小語種的德語，由於其語言的特殊性[46]，在普通的英國人或中國
人開設的印刷廠進行印刷必然存在諸多不便，因此，德國人實在太需
要一個自己的同胞開設的印刷廠了。[47]由此來看，《德文新報》的印刷
問題必定是我們要討論該報的立場時不能忽略的一部分。

　　那瓦勒時期提出的問題最終在芬克時期得到解決。一九〇〇年左
右，德國印刷及出版社（Deutsche Druckerei & Verlagsanstalt）成立[48]，

---

45 Winke für Industrielle in der Heimath. Der Ostasiatische Lloyd. 2. Juli 1897, S.12501254.
　　Heimath 即 Heimat。

46 例如，德語中的變音字母 ä、ö、ü 在英語中是不存在的。

47 Winke für Industrielle in der Heimath. Der Ostasiatische Lloyd. 2. Juli 1897, S.1250-1254.

48 筆者未能查閱到該印刷廠的詳細信息，僅從《德文新報》中的一些零碎信息中判斷
　　該印刷廠大概成立於一九〇〇年。相關信息如：自一九〇〇年三月三十日，《德文新
　　報》開始在刊物上注明由 Deutsche Druckerei & Verlagsanstalt 印刷；自此之後，《德
　　文新報》中頻繁出現為 Deutsche Druckerei & Verlagsanstalt 所做的廣告。

並成為《德文新報》在中國的印刷場所。隨著時間的推移，這一問題又有了後續的發展。當專門的德語印刷不再成為德國人的煩惱之後，新的爭論便出現了。稍對近代德國文化史有所瞭解的人一定知道，十九世紀末二十世紀初時期，從政府公報到街邊廣告，從書籍到報刊，德語世界中的文字印刷品普遍使用哥特式花體活字（Fraktur）印刷。然而，《德文新報》自一八八六年創刊至一九一七年停刊，除極少部分廣告、公告及部分時期[49]的報頭髮刊信息之外，其主要字體採用拉丁字母圓體活字（Antiqua）印刷。在一九〇〇年之前，由於德國人尚未在中國建立自己的印刷廠，只能依賴別國，因此，在印刷用的活字方面，也必然不能奢望用其本國所熟悉的花體活字。自從建立自己的印刷廠之後，關於是否應當改用花體字印刷《德文新報》的討論內容多次見諸其版面中[50]，並一直延續到一九一四年大戰將至。一九一四年七月十日，編輯部就此問題闢出了約一個版面進行論述。當時的客觀情況是，「負責《德文新報》的印刷廠裏還沒有哥特式花體的活字，而且也尚沒有排字工人能識別哥特字體。」[51]對於當時已經頗具實力和規模的《德文新報》而言，「當然，這種情況是可以改變的。」[52]只不過，改變印刷字體，「未來會使用拉丁字母圓體字還是哥特式花體字，這將影響後來許多的問題。不是編輯部或出版商單獨能回答的了的。」[53]作為遠東地區最具規模的德文報刊，《德文新報》編輯部更多的還要考慮到刊物未來的發展，「以後在東亞出版的報刊會

---

49 一九〇六年至一九一七年《德文新報》報頭的發刊信息處文字以哥特式花體字印刷。

50 「關於《德文新報》使用拉丁字體（圓體字）而非哥特字體（花體字）印刷這一問題，我們已經反覆提過了。」引自《德文新報》原文：ZurSchriftfrage. Shanghai Nachrichten. Der Ostasiatische Lloyd. 10. Juli 1914, S.217.

51 Zur Schriftfrage. Shanghaier Nachrichten. Der Ostasiatische Lloyd. 10. Juli 1914, S.217.

52 Zur Schriftfrage. Shanghaier Nachrichten. Der Ostasiatische Lloyd. 10. Juli 1914, S.217.

53 Zur Schriftfrage. Shanghaier Nachrichten. Der Ostasiatische Lloyd. 10. Juli 1914, S.217.

使用到中文，以贏得更大量的讀者。與中文名字及相關字詞有關的內容會使用漢字表達出來。總是以西文字母來做各種德語的釋義會搞得含混不清，難以表明實際意思，這會給讀者的理解造成困難。這樣的情況下，編輯部會使用不同字體的字母來印刷。」[54]顯然，這並不是一個能即刻做出的決定，更不僅僅是為印刷廠換一套活字那麼簡單。編輯部重視從報刊的各個部門獲取各類意見。認為「只有通過公開討論，才能在諸如刊物將如何排版之類的問題上更加明確什麼是可取的、什麼是必要的。」[55]

在針對此問題進行討論的各類讀者中，在中國教授德語的教師是居於德國文化在東亞傳播第一線的，編輯部明白，他們的意見應當予以特別重視。總的來說，德國人更傾向於改用哥特式花體字來處理德文印刷品。Hänisch 博士認為，「中國人在面對西文時，更多情況下會以英語慣用的拉丁字母來處理，因此，德文印刷品也使用拉丁字母圓體字會造成這樣的印象，即我們的文化是依賴於英語文化的，這就意味著英語文化優於我們的德語文化。中國人比歐洲人更重視文字，他們會將文字與思想緊密結合在一起。這樣一來，在中國放棄我們自己慣用的花體字印刷，就是在讓我們自己的語言冒降低尊嚴的風險。」[56]哥特式花體字是當時德國文字的象徵，德國人以此為榮。除此之外，他們也尤其願意做這樣的陳述：「最近的心理學研究證明，眼睛更容易理解以哥特式花體字展現出來的信息，因此，與形式乏味的圓體字相比，哥特式花體字更容易避免使閱讀者犯困。」[57]

那麼，除去印刷廠之類的客觀原因以外，為什麼《德文新報》多

---

54 Zur Schriftfrage. Shanghaier Nachrichten. Der Ostasiatische Lloyd. 10. Juli 1914, S.217.

55 Zur Schriftfrage. Shanghaier Nachrichten. Der Ostasiatische Lloyd. 10. Juli 1914, S.217.

56 Zur Schriftfrage. Shanghaier Nachrichten. Der Ostasiatische Lloyd. 10. Juli 1914, S.217.

57 Zur Schriftfrage. Shanghaier Nachrichten. Der Ostasiatische Lloyd. 10. Juli 1914, S.217.

年來依然堅持使用圓體字印刷呢？「一個自始至終理由便是，外國人
無法讀懂花體字。反對之聲一定會強調，外國人經常閱讀的印刷品及
書籍，尤其是一些重要的資料，都是以哥特式字體印刷的，他們閱讀
起來沒有任何困難，而且經過廣泛調查詢問顯示，大多數人所讀的德
文印刷品都是花體字印刷的。」[58]即使這種「反對之聲」是成立的，
但也無法掩蓋必定有一部分人無法讀懂哥特式花體字這一事實。報刊
是面向大眾傳播的，少數服從多數的規則在此時並不能完全成立，
《德文新報》要爭取的是儘量多的讀者。誠然，《德文新報》是維護
德國人利益的，對此始終不遺餘力。然而，這卻並不意味著該報在觀
點上會一味地偏執。無論是前文的量化分析，還是其它多處對報刊原
文進行的引用，都不自覺地證明了這是一份立場明確並相對理智、客
觀的刊物，編輯部十分願意以版面為平臺，將各類意見都展現出來。
在印刷字體這一問題上，亦是如此。

　　從一九一四年七月的這篇文章來看，截止到那個時候，「在德國
本土，支持使用圓體字印刷的人已經減少，哥特式花體字得到了更多
人的支持。這是因為德國人在本土以外的地方對哥特式花體字的使用
做了大力的推廣」[59]，例如，當時在中國教授德語的知識分子[60]就對
此功不可沒。然而，隨著戰爭的打響，《德文新報》再也沒有充分的
機會繼續發展，直到一九一七年八月停刊，代表德語印刷文字特徵的
哥特式花體字，始終沒能成為該報正文的印刷字體。

　　由此可見，同樣是討論《德文新報》中所表現出來的立場這一問
題，在芬克主編時期，我們已經能夠從德國在華報刊活動、受眾、新

---

58 Zur Schriftfrage. Shanghaier Nachrichten. Der Ostasiatische Lloyd. 10. Juli 1914, S.217.

59 Zur Schriftfrage. Shanghaier Nachrichten. Der Ostasiatische Lloyd. 10. Juli 1914, S.217.

60 當時在中國教授的德語的教師會定期召開教師會議，本文所討論的問題即是當年在
青島召開的教師會議所討論的議題之一。

聞業務、印刷業務等多方面客觀地予以展現，而不僅僅是靠摘引編輯部文章中那些充滿感情色彩的肺腑之言。為什麼《德文新報》在進入二十世紀之後開始成為一份不可被忽視的在華外報，以上這些論述都可以成為有力的證據。

第二節　對英國人在華報業示威

德國與英國，這是兩個在語言上同宗同源的國家。然而，就其在近代史中的關係而言，卻處處充滿對抗。十九世紀中期以後，當英國人與德國人陸續踏上古老中國的土地，他們之間的對抗與競爭也隨之同行，這種對抗也進一步在報業活動中顯露出來。

一　獨立

正如前文已經論述過的，《德文新報》未創刊之前，在上海以至整個中國的德國人是靠英國人所辦的報刊來獲取信息的。從一個方面來說，《德文新報》的創刊是與德英兩國之間的競爭關係緊密相連的。那時候，英國人所辦的《字林西報》是在華外國人圈子中頗有人緣的報刊。[61]然而，英國人在其報刊中從不掩飾偏向本國利益的態度[62]，是德國人無法忍受的。這也可以在一定程度上解釋，《德文新報》在創刊伊始，為何就明確地將「遠東地區德國人利益之音」作為自己的辦報宗旨。

61　Das fünfzigjährige Jubiläum der „North China Daily News". Shanghaier Nachrichten. Der Ostasiatische Lloyd. 3. Juli 1914, S.212.

62　Jubiläum des „North-China Herald." Shanghaier Nachrichten. Der Ostasiatische Lloyd. 5. August 1910, S.243.

　　《德文新報》的創刊和發展恰是伴隨了近代德國崛起的腳步。那一時期，正如英國在中國的絕對優勢逐漸受到幾個新興國家的挑戰一樣，英國人在近代中國的外文報刊領域也隨之失去了絕對權威的地位。自《德文新報》創刊之時起，「英國人在其報刊上的口氣便開始改變了，他們的聲音開始變得哀傷，……那種英國式的驕傲也隨之變得沮喪」。[63]德國人在自己的報刊中完全擁有了為自己說話的權力，這種情緒溢於言表：「除了德國政府事務，英國人不再報導更多與德國有關的消息，而只是反覆地言說自己國家的事情。德國的商業貿易發展迅速是不爭的事實，對此，英國人卻在他們的報刊上卻故意迴避，作為公共輿論之口，他們現在只是滿足於對德國人的活動偶而做些酸溜溜的短評。……我們要再一次強調的是，自《德文新報》創刊之日起，我們就在堅持與英國人的妒忌無數次地進行對抗。」[64]尚在萌芽之時的《德文新報》將自己所代表的德國報業比作小樹，將英國在華報業看作是大橡樹[65]，並如宣戰般告訴英國人：但願這棵在大橡樹下紮根的小樹不要將土壤裏所有的養分都吸走！[66]

　　然而，很明顯的是，在《德文新報》創刊之後的第一個十年裏，在經歷了最初階段的輾轉起伏之後，這份尚顯稚嫩的刊物除了宣言般的言詞，還並沒有很多真正的實力與英國人的報刊進行對話：「我們決不會自吹自擂，而是要去思考怎樣逐步將英國人在中國已佔有的地盤奪過來；……看到對手只會愚蠢而徒勞地在其報刊上淡化我們的成績，我們只會暗自歡喜，並反思對手衰落的原因。」[67]除此之外，並

63　Unser Standpunkt. Der Ostasiatische Lloyd. 2. Oktober 1896, S.68.

64　Unser Standpunkt. Der Ostasiatische Lloyd. 2. Oktober 1896, S.68.

65　Unser Standpunkt. Der Ostasiatische Lloyd. 2. Oktober 1896, S.68.

66　Unser Standpunkt. Der Ostasiatische Lloyd. 2. Oktober 1896, S.68.

67　Unser Standpunkt. Der Ostasiatische Lloyd. 2. Oktober 1896, S.68.

無新舉。德國人依然只能在自己報刊的最新消息專欄中轉引來自路透社的消息。

雖然那瓦勒擔任《德文新報》主編的時間不是最長的，在其任職的近十年期間，《德文新報》的實力在整個在華外報範圍內也還不足稱道，可是，我們不能忽略的是，那瓦勒接手時的《德文新報》正風雨飄搖，是這位專業程度並不高的主編，將《德文新報》穩定了下來，並逐步打開了拓展的空間。「英國的自負與威脅已經一去不復返了！」[68]也許那瓦勒的這句話言出尚早。在二十世紀到來之前，德國人在中國的報刊領域僅僅是完成了獨立這一步。

二　擺脫

芬克接任《德文新報》之後所實施的一系列改革，與其個人的專業能力及努力是分不開的，然而，不能忽視的一點是，促成該刊物改革實現的背後力量在於德國國家實力的上陞，以及德國報業的進步。作為受過專業訓練並經驗豐富的報人，芬克對於德國報業本身的問題自然會特別關注。

（一）德國記者訪英記

一九〇八年，德國各主要大報的主編對英國進行了一次訪問，《德文新報》對此次活動作了述評：「柏林方面對此次德國報人的訪英活動做了大量的報導」[69]，藉此可以看出，德國報界對此次訪問活動是頗為重視的。然而，「多數的英國報刊對其德國客人所抱的態度

---

68 Unser Standpunkt. Der Ostasiatische Lloyd. 2. Oktober 1896, S.68.

69 Der Besuch der deutschen Journalisten in England. Der Ostasiatische Lloyd. 3. August 1906, S.220-221.

卻是敵意多於友好。」[70]對於以《泰晤士報》為代表的英國主要報刊幾乎閉口不談此次訪問的狀況，《德文新報》表示，「在這種情況下，德國報刊更應當謹慎地權衡和評價這次訪問」。[71]面對英國同行的冷漠態度，德國人依然明確地承認，「對有些德國記者而言，這次訪問可能是一筆寶貴的經驗財富。德國報刊通常會認為，英國的新聞業已經過了其高峰期，開始走下坡路。或許，縱觀過去的整個世紀來看，確實如此；然而，我們目前最重要的是要正確認識英國的現狀。在倫敦的德國記者們指參加此次訪英活動的德國報人。充分相信，今天的英國依然擁有強大的政治和經濟實力，甚至遠不止於此：該國的現代文化力量自成一體，組織甚好。」[72]本文在之前的篇章中已不止一次論述過《德文新報》在論述上的客觀性問題，在這裏，便已不需再多言，只不過是又多了一條證據而已。

不過，德國人的謙虛中也帶著明顯的反擊：「參加此次訪問活動的德國報人還注意到，英國報業的同業公會組織嚴密，這一行業的社會階級意識鮮明，該國新聞業的政治價值觀一致。在這一點上，德國的環境則要優於英國。德國新聞人擁有真正的權力，不會順著規矩說話。」[73]儘管德國人一再強調，此次新聞業的訪英活動「是一種禮貌和友善的表示，別無他意。」[74]並且，德國人願意等待英國同行的回

---

70 Der Besuch der deutschen Journalisten in England. Der Ostasiatische Lloyd. 3. August 1906, S.220-221.

71 Der Besuch der deutschen Journalisten in England. Der Ostasiatische Lloyd. 3. August 1906, S.220-221.

72 Der Besuch der deutschen Journalisten in England. Der Ostasiatische Lloyd. 3. August 1906, S.220-221.

73 Der Besuch der deutschen Journalisten in England. Der Ostasiatische Lloyd. 3. August 1906, S.220-221.

74 Der Besuch der deutschen Journalisten in England. Der Ostasiatische Lloyd. 3. August 1906, S.220-221.

訪，以促成更進一步的交流。[75]但事實上，德國報人在英國同行面前的底氣已經漸漸鼓足，他們確信：「德國記者對英國瞭解要遠遠勝於英國記者對德國的瞭解。」[76]換句話說，德國人就要讓他們的英國同行重新認識自己了。

（二）擺脫路透社

一直引用路透社的消息是德國報人長久以來的痛楚。「除了少數例外，所有東亞及其它地區或世界各地的重大新聞事件都是通過路透社或其它英文報刊報導的，然後再由英方轉至德國報刊。」[77]長久以來，德國報人都將此事視為意義重大，並且一直希望能夠改變這種狀況，他們不願意凡事都借英國人的眼睛去瞭解，因為他們確信，英國報人總是在其本國政策允許的範圍內向外界提供新聞，而且，這些內容總是從英國人自己本國利益出發的。[78]許多德國記者在為本國報刊撰寫新聞的時候，只能取材於外國通訊社發出的那些模糊而簡短的電報消息。[79]

一九〇六年九月，德意志有線電報公司（Deutsche Kabelgramm-Gesellschaft G. m. b. H.）在柏林成立。[80]這件事對於德國的新聞業而

---

75 Der Besuch der deutschen Journalisten in England. Der Ostasiatische Lloyd. 3. August 1906, S.220-221.

《德文新報》此篇文章一開頭便表明，希望此次新聞界的訪英活動能夠有益於改善德英兩國之間的關係，並在文章結尾時引用一位賢者的話說：「禮貌是一種氣墊，能減弱強烈衝撞的力量。」

76 Der Besuch der deutschen Journalisten in England. Der Ostasiatische Lloyd. 3. August 1906, S.220-221.

77 Los von Reuter! Der Ostasiatische Lloyd. 9. November 1906, S.867-868.

78 Los von Reuter! Der Ostasiatische Lloyd. 9. November 1906, S.867-868.

79 Los von Reuter! Der Ostasiatische Lloyd. 9. November 1906, S.867-868.

80 Los von Reuter! Der Ostasiatische Lloyd. 9. November 1906, S.867-868.

言，意義尤其特殊，這意味著「德國報刊最終能夠擺脫外國通訊社而獨立起來。」[81]在遠離祖國的東方，《德文新報》編輯部深知該電報公司對報刊業務的重要性，以《擺脫路透社！》這個鮮明的標題報導了此事，並在文章最後呼籲「德國的報刊能夠支持該公司，尤其是在其發展的最初階段，懇請德國各報刊能夠給予其寬容與愛護。因為該公司對於德國在海外獲取利益能作出的貢獻，會遠超於眼前所能看到的。」[82]

（三）《北華捷報》與《字林西報》創刊週年紀念

一九一〇年，英國人在近代中國所辦的第一份報刊《北華捷報》迎來了六十週年創刊紀念；一九一四年，英國人在華最有影響力的報刊《字林西報》創刊五十週年。《德文新報》對此都專門撰文報導並表示祝賀。[83]在這兩篇文章中，德國人對這兩份具有代表性的英國在華報刊的發展歷程作了回顧，並對兩者在過去的數十年中在新聞界取得的成就表示了肯定

。[84]面對報業競爭對手如此輝煌的歷史和影響力，德國人的言辭中絲毫不顯得酸澀，除了客觀記錄之外，並沒有做過多評論。這應該可以在一定程度上說明，德國報人已經強大起來，因為可以正視對手

---

81 Los von Reuter! Der Ostasiatische Lloyd. 9. November 1906, S.867-868.

82 Los von Reuter! Der Ostasiatische Lloyd. 9. November 1906, S.867-868.

83 《德文新報》分別於一九一〇年八月五日和一九一四年七月三日在《上海消息》中刊發了 Jubil um des "North-China Herald."（《北華捷報》週年紀念）和 Das fünfzigjährige Jubiläum der "North China Daily News".（《字林西報》創刊五十週年紀念）兩篇文章。

84 Jubiläum des „North-China Herald." Shanghaier Nachrichten. Der Ostasiatische Lloyd. 5. August 1910, S.241-248.

Das fünfzigjährige Jubiläum der „North China Daily News". ShanghaierNachrichten. Der Ostasiatische Lloyd. 3. Juli 1914, S.212.

的時候，便意味著內心無懼了。只是，在兩篇文章中，都提到了這兩
份英國報刊明顯傾向於本國利益的問題。一直以來，德國人最介意的
事情莫過於此。鑒於英國人所辦報刊的影響力，其報導中流露出的傾
向性必然會影響到德國人的利益，這一點毋庸置疑。

　　當《德文新報》已走過二十餘年的歷程，逐漸攀向頂峰之時，在
遠東地區的報刊領域，面對英國人對德國人的不友好，站穩了腳跟的
德國報人開始了反擊。

三　對抗

　　隨著德國報業的進步以及《德文新報》在遠東地區的影響力日漸
增強，報刊與國家的利益愈發緊密地聯繫在一起，德國在本土以外的
報刊所發出的聲音對德國海外利益的獲得愈發顯得重要。

（一）宣言

　　一九一二年五月，《德文新報》在《東亞的德國報刊》（Die
deutsche Presse in Ostasien）一文中援引了《亞洲》（Asien）雜誌主編
施瓦策（Schweitzer）在柏林舉行的德國東亞協會（Deutsch-
Asiatischen Gesellschaft）[85]所舉辦的一次宴會上的講話：「報刊承擔著

---

85 德國亞洲協會（Deutsch-AsiatischeGesellschaft）係一九〇一年十月於柏林成立的聯
　　盟組織，其目的在於維護德國在亞洲的利益。每一個在國內或國外的德國人均可成
　　為其會員。會員每年最少繳納五馬克。該協會劃分成一系列部門，按照科研和經濟
　　門類明確分工（中東、英占亞洲地區及中亞地區等）。該協會自一九〇二年十月一日
　　起出版月刊《亞洲》雜誌（該刊同時也是慕尼克東方協會的機關刊物）。自成立以
　　來，該協會主席由 Freiherr Colmar von der Goltz-Pascha 將軍擔任，協會秘書及《亞
　　洲》（Asien）雜誌發行人由 Vosberg-Rekow 擔任。一九〇三年該協會會員約為六百人
　　（資料來源：Meyers Großes Konversations-Lexikon, Band 4. Leipzig 1906, S.689.）。

一項非常重要的任務。報刊應對其所報導的一切負責，應知曉一切，做到一切，如果成功，則是理所應當，但如果出了什麼問題，所有責任就都要落到報刊的頭上。但你們可曾想到，記者每每遇到機會的同時也面臨著巨大的困難，我只想指出，在亞洲所進行的這些活動，我們已經盡力了，我們也從中獲得經驗了。在亞洲，德國報刊才剛剛起步，而英國報刊在這裏已經有些年月了。不過，在亞洲的德國報人們都明白，雖然他們在新聞業中暫時落後，但他們背後擁有強大祖國的支持。勤奮，嚴謹，處事客觀，不會感情用事──這就是德國報刊的出眾之處。在這裏我不禁要與路透社做一對比，該社對德國的報導總是令人作嘔。但幸運的是，最近，情況也變了。通過德國在東亞的代表機構及通訊社，我們的報刊可以連續給予回擊，英國人對德國人及德國報刊的詆毀至少在一定程度上減輕了。先生們！我可以向大家保證，整個德國新聞界會不懈地努力，以終結這種不堪的狀況。我們會以最犀利的方式反擊對手，並且，我堅信，我們會取得更大的成功。」[86]

這樣的言辭，似曾相識，無論是那瓦勒還是芬克，都曾在某年某月的《德文新報》中表達過類似的在報界更加有所作為的願望。有所不同的恰是在於，一九〇六年以後，德國人可以通過自己的電報公司發送及傳遞出自德國記者之手的新聞消息了。

（二）質疑《字林西報》

正如前文已經提到過的，英國人所報導的消息總是從自己的國家利益出發的。德國報人們只能拿著別人採寫的新聞報導，以此作為素材，要從自己國家利益出發去編寫報導，談何容易！縱然《德文新

---

86 Die deutsche Presse in Ostasien. Der Ostasiatische Lloyd. 24. Mai 1912, S.456.

報》中曾經多次就英國人對德國的不友好報導提出抗議，可是，反駁的理由在哪裏？當新聞事件發生之時，從現場傳回最新消息的是英國人，德國人只能借對手的眼睛去瞭解事件。只有當德國記者與英國同行同時出現在事件發生現場的時候，一切才有了根本的改變。

德國人在中國的勢力日漸強大，同時，他們也明顯地注意到，英國人的《字林西報》對德國人的口氣愈發變得不友好。[87]一九一三年八月一日，《德文新報》發表文章，對《字林西報》關於上海公共租界萬國商團[88]的一次佔領行動的報導公開表達了不滿，認為《字林西報》在對此次行動的報導中明顯地迴避了德國隊參與的事實，「要求該報糾正其故意忽視德國與其它國家一樣盡了自己的職責這一錯誤。」[89]《德文新報》以自己的現場記者發回的消息為依據，直截了當地指出《字林西報》在該報導中迴避不提兩點：「一、德國隊海軍支隊在租界佔領防衛方面的貢獻；二、德國隊於星期二下午佔領了閘

---

87 Deutschland und die „North-China Daily News". ShanghaierNachrichten. Der Ostasiatische Lloyd. 1. August 1913, S.246.

88 一八五三年四月，英美等國以保護僑民為名在上海組織了上海義勇隊。小刀會起義失敗後，上海義勇隊衰微。同治二年（1863年）太平軍進攻上海，上海義勇隊重建，由英軍上校倪爾指揮。因大部成員為英商，亦稱商團。同治四年三月初三，英、美、俄領事及在上海主要商人在上海總會召開義勇隊全體會議，認為商團與租界的利益相一致，通過決議擴編商團。同治九年六月初四召開洋涇浜以北僑民大會，決議在上海義勇隊基礎上組建上海工部局萬國商團，隸屬於工部局董事會。萬國商團由此成為租界當局的一支準軍事化武裝，擔當了維護租界當局統治的角色。商團司令每年須向工部局報告該年商團人員變動、訓練等情況。商團經費，初由各國捐募，隸工部局後，由徵收捐稅解決（資料來源：黃美真、劉其奎、王孝儉、《上海通志》編纂委員會：《上海通志》〔上海市：上海人民出版社，2005年〕，詳見第四十六卷特記）。

89 Deutschland und die „North-China Daily News". Shanghaier Nachrichten. Der Ostasiatische Lloyd. 1. August 1913, S.246.

北。」⁹⁰同時，《德文新報》進一步給出了相關細節：「《字林西報》在報導這次軍事行動中徐家匯路的情況時，明確指出那裏的兵力有一百五十人，而隨後又補充說這些兵力是奧地利隊與意大利隊各半，該報一方面表明了自己深入現場做了調查，另一方面卻又故意隱瞞德國隊在該部分兵力中佔了三分之一這個事實，因為奧地利隊和意大利隊在此處的兵力實際上是各為五十人。」⁹¹《德文新報》認為，這顯然是英國人在報導中故意為之，因為按照萬國商團的國家排列來說，要忽視德國是不可能的，在萬國商團總部，德國隊與奧匈帝國隊的國旗是相鄰的。「還有一種情況更引人注目。這些天來，萬國商團中唯一維持火力並給予回擊的就是德國隊。《字林西報》的記者對此一無所知嗎？」⁹²

在這件事情上，德國人對《字林西報》的不滿還不止於此，《德文新報》指出：「《字林西報》還報導了這次萬國商團軍事行動中的另一個細節：七月二十六日晚，非法走私彈藥的日本人是由德國隊捕獲的。恰是這一則報導洩露了該報對德國隊參與此次軍事行動完全知情的事實。然而，此報導又是引起德日衝突的導火索。」⁹³在半個月之後，當這次軍事行動結束時，《字林西報》在相關此事的報導中「又再次故意對德國人視而不見。……對德國隊在這次行動中的功績毫無提及。……即使在關於萬國商團各隊撤回的報導中，德國人（也只有

---

90 Deutschland und die „North-China Daily News". Shanghaier Nachrichten. Der Ostasiatische Lloyd. 1. August 1913, S.246.

91 Deutschland und die „North-China Daily News". Shanghaier Nachrichten. Der Ostasiatische Lloyd. 1. August 1913, S.246.

92 Deutschland und die „North-China Daily News". Shanghaier Nachrichten. Der Ostasiatische Lloyd. 1. August 1913, S.246.

93 Deutschland und die „North-China Daily News". Shanghaier Nachrichten. Der Ostasiatische Lloyd. 1. August 1913, S.246.

德國人）又再一次未被該報提到。」[94]對於英國人的這種做法，《德文新報》不無諷刺地說：「我們著實應當記住，《字林西報》在特定的時刻對於德國的報導是抱著一種多麼『友好』的態度。」[95]

面對《德文新報》所羅列的數字和若干被忽略的事實，在中國報界盛名已久的《字林西報》會若無其事嗎？我們不得而知。然而，英國報刊已日漸失去在中國的絕對優勢，這卻是不爭的事實。

（三）路透社尋根

對於路透社，德國報人曾經憤恨卻又無可奈何。恨其是英國政府的喉舌，「總是將報刊與政治聯繫在一起」[96]，並且「對德國抱有敵對情緒」。[97]可是，在德國新聞業務尚稚嫩的時期，德國報人又別無選擇，必須使用該通訊社的消息。

當德國在遠東地區的報刊不再依賴於路透社所發佈的消息，《德文新報》又挖起了路透社的歷史：「這家對德國有敵對傾向的英國通訊社，其實是起源於德國人並要歸功於德國人推動其發展的。」[98]維爾納‧馮‧西門子（Werner von Siemens）維爾納‧馮‧西門子（Werner von Siemens）（1816年12月13日～1892年12月6日），德國發明家、企業家，西門子公司創始人。德皇弗雷德里希三授予其貴族稱號。在其回憶錄中講到：「就我所知，電報通訊機構的建立無情摧毀了路透先生從科隆到布魯塞爾這條線上頗賺錢的鴿郵業務。……路透

---

94 Nochmalsdie „North China Daily News". Shanghaier Nachrichten. Der Ostasiatische Lloyd. 22. August 1913, S.267.

95 Deutschland und die „North-China Daily News". ShanghaierNachrichten. Der Ostasiatische Lloyd. 1. August 1913, S.246.

96 Reuter. Der Ostasiatische Lloyd. 24. Dezember 1913, S.580-581.

97 Zur Geschichte des Reuterschen Büros. Der Ostasiatische Lloyd. 2. Januar 1914, S.7.

98 Zur Geschichte des Reuterschen Büros. Der Ostasiatische Lloyd. 2. Januar 1914, S.7.

按照我的建議獲得了成功。倫敦的路透社及其創始人巨頭路透，而今世界聞名。」[99]眾所週知，德國的沃爾夫通訊社的創立時間早於路透社沃爾夫通訊社是世界上最早且規模最大的通訊社之一，建立於一八四九年。創辦人貝納德·沃爾夫，曾經在哈瓦斯通訊社當過譯員，一八四八年在柏林創辦《國民報》，並於一八四九年創建了沃爾夫通訊社，是德國新聞通訊業的始祖。

　　路透社由英國人保羅·朱利斯·路透（Paul Julius Reuter）於一八五〇年在德國亞琛創辦，次年遷往英國倫敦。但海底電纜卻幫助後來者居上[100]，成為當時最有影響力的新聞通訊社。對此，德國人流露出不盡的無奈：「發自沃爾夫通訊社的報導常常不被信任，而同一則報導，隨後被路透社拿去仿傚了之後報導出來，情況就不同了。要知道，其實是沃爾夫社首先報導了該消息，路透社只是仿傚者而已。」[101]從另一方面來說，試想，在《德文新報》還是上海報界無名小卒的時候，若出此言，難免會被報界恥笑為攀龍附鳳。所以，當德國報人願意在自己的刊物上主動去解釋路透社與德國的淵源時，這恰恰表明了這份德國在華報刊的強大實力。對中國報業而言，這至少意味著，《德文新報》的觀點是應當受到重視的。

　　以上篇幅闡述的目的只有一個，就是為了證明《德文新報》在近

99　Zur Geschichte des Reuterschen Büros. Der Ostasiatische Lloyd. 2. Januar 1914, S.7.
　　在建造科隆到比利時的韋爾維耶的線路期間，維爾納·西門子結識了路透先生。當時，路透在科隆和布魯塞爾之間經營信碼郵遞。電報的使用，使他的生意一落千丈。路透向維爾納·西門子傾訴生意被衝擊的苦惱，西門子立即建議他們夫婦去倫敦，在那裏建立一家電報通訊社，就像沃爾夫在柏林創建的通訊社那樣。

100　一八六六年，路透社得到普魯士漢諾威王朝的授權許可，鋪設了由德國北部海岸到英國英格蘭的海底電纜。路透社通過海底專用電纜，將新聞傳到印度及遠東各地，自此，路透社以快速的新聞報導被世界各地報刊廣為採用，聞名於世界新聞業。

101　Zur Geschichte des Reuterschen Büros. Der Ostasiatische Lloyd. 2. Januar 1914, S.7.

代在華外報中的分量頗重。當這個命題成立，那麼該報對於近代中國
報業的關注，就必然成為近代中國報刊史上不可抹煞的篇章。

第三節　中國報界的成長

　　《德文新報》關注最新發生的事件，這是報刊的職責。除此之
外，這份出自德國人之手的刊物還尤其關心中國報業乃至所有與報業
本身相關的事情。在德國報人的眼中，彼時的中國報界究竟是怎樣一
種狀況？從那瓦勒到芬克，兩代主編都深情地注視著中國報業的發展
變化，在他們的筆觸間，中國報業向前邁進的腳步得以展現，同時，
變動中的近代中國之種種弊端對報業發展設下重重有形或無形的阻
礙，也都被記錄了下來。他們從不吝惜溢美之詞，也不掩飾苛刻的批
評，本節將展現的是《德文新報》記錄下的中國報業發展狀況。

一　那瓦勒眼中的中國報業

　　那瓦勒主編《德文新報》時期，該報在一八九七年對中國報業那
瓦勒此處對中國報業的論述是涵蓋所有在中國出版的報刊，既包括在
華外報，也包括中國人的自辦報刊。就有過專門的論述。

> 　　儘管，中國本土的報業尚處在發展之中，但已經很明顯的是，
> 近些年來，外國人對中國報業投入了比以往更高的關注度。所
> 有在中國出版的報刊所轉引摘錄類的新聞都出自中國本土的報
> 刊，其中大多數都是吸引人的奇聞軼事。誠然，中國報業迄今
> 為止所取得的進步是緩慢的；但是，這一項涉及廣泛大眾的活
> 動從一開始就保持著不慌不忙的性質，並且，顯而易見的是，

報界對中華民族的發展必將會產生不可低估的影響。

目前，我們已經可以看到，中國本土的報刊均有可能對官員及政府的行為進行有效的施壓。該以何種方式將當天的新聞呈現給讀者，如何對新聞事件進行評論，如何對要人進行批評，雖然中國報界在以上這些方面的水準都還是低級的、不盡如人意的，然而，誰都不是與生俱來的大師，中國報界首先要做的與他國無異——即要逐漸培養自己的新聞人。[102]

　　如果說，上述一段綜述是許多在華外國報人都有可能總結出來的話，那麼，憑什麼說報業對於中國未來的意義不可低估呢？恐怕只有那瓦勒這樣對中國文化和傳統頗有瞭解的外國人才能夠回答吧：「報業之於這個國家未來的意義已經從三個基本情況中顯現出來，即：第一，中國人大量閱讀文學作品並極易受其影響；第二：在中國的教育體系下培養出了大批優秀的學識淵博者，然而這些人卻無法找到適合他們的工作；第三：占世界人口相當大比例的中國人口使用的是同一種語言。」[103]在那瓦勒看來，這些都是其它東方國家在發展報業方面所不具備的優勢。

　　應當說，那瓦勒為十九世紀末的中國報業做了客觀的總結，並提出了適宜的建議：「中國報業在其本土已擁有了自己的地位，這一點是必不可少的。安全、規律及快捷的分發管道當然也是必需的，這就少不了通過鐵路及郵政業務來實現。事實上，上述所提及的需要消耗時間的部分，都可以通過改進機器效率而得到改善。為中國文人建立一所專門的記者培訓學校勢在必行。來到記者學校的中國文人將在這

102　China und seine Presse. Der Ostasiatische Lloyd. 8. Oktober 1897, S.26-27.
103　China und seine Presse. Der Ostasiatische Lloyd. 8. Oktober 1897, S.26-27.

裏度過他們生命中最好的時光，傳統的沉悶的寫作方式會被屏棄，在這裏學習到的將是適用於報刊報導的相關課程，日後，他們會將其所學運用於報紙刊物的相關工作中。在這個國家的優秀文人中，有少數人曾經試圖並成功擺脫了原有的沉重、古典的寫作風格，代之以簡單明瞭的語言表達，但是，他們還是不能以客觀的眼光來評判自己國家的事情，更何況外國乎？在他們頭腦中只有黑白兩種色彩——而所有中性的色彩都被忽視了。中國的記者已經喪失了判斷是非的能力；他們在很大程度上所做的都是對事物之精神的解釋，而那些新時代所創造出的事物都未被包含在其中。因而，就目前的狀況來說，他們僅僅只是能夠應付報業的工作。」[104]

近代報刊對古老中國而言，的確是全新的事物，不同於朝報、小報，與進奏院之類的統治機構無關，這種舶來品的每一個細胞都是外來的，當它在中國的土壤裏紮根，逐漸成為中國人生活中的一部分，那麼，古老的中國就必須放下驕傲，從一點一滴學起來。正如那瓦勒分析的那樣，中國傳統中的許多因素在這裏成了「中國本土報業發展緩慢的原因，中國報業很需要一種外來因素作為發條以增強其動力。這必須與中國西學運動中所進行的其它革新同時行動。而事實情況是，以前在中國報業領域從事這一行業的都是外國人；在過去的三十年中，他們在此行業作出了巨大的貢獻，盡可能地將各種新聞消息傳播到中國各地，其效果必定在將來顯現出來。而要使報刊成為中國人生活中的必需品和言說真理、引導進步的工具，還有很長的一段路要走。在中國報界從業的外國人，他們做此工作並非全部都是出於自己的興趣愛好，還有一項必須要做的工作是，將他們在這一行業的成就記錄下來。這項工作並非易事，只有很少的外國人有能力勝任；因為

---

104 China und seine Presse. Der Ostasiatische Lloyd. 8. Oktober 1897, S.26-27.

這不僅要求在華外國新聞工作者精通漢語，尤其還要深入地瞭解中國人的脾性。除此之外，在中國做這一行的外國人還必須善於瞭解參與報刊活動的中方老闆，若是沒有這項能力，其它皆成無用。報刊的中方老闆總是腐敗得無藥可救，如果不執行嚴格的監管，這種狀況就還會繼續下去；中國的腐敗不僅出現在對日程和人事的安排上，還出現在出版物對事實的壓制或是評判利害關係上，這使得整個系統都呈現了相當不正常的狀態。而要清除中國報業中的這些弊病，只有大力士赫拉克利斯[105]才能勝任（這的確是一項不小的工程）。要創造一個嶄新的新聞業，並使其保持純淨，同時又具有趣味性和通俗性，使之成為大眾生活中的必需品，這是一項大工程，這是當下在中國（通過努力）能夠實現的；對中華文明及中華民族之真正的福祉而言，這非常重要。一個組織有序的報刊會影響中國數百萬人；這一刻總會到來的，然而，能使之實現的人才何在呢？」

二　芬克筆下的中國報業

前文曾經提到，在辦報方面，那瓦勒和芬克是有所不同的。因此，在如何報導中國報業這一問題上，他們二人自然也是異樣：相對於那瓦勒直接的方式來看，芬克則較為間接：

「事實上，閣下您對現代文明及其重要原則還未曾知曉。所有錯誤之根源在於，您未遵照合理的建議去進行嘗試，也就是去『學習』，以致您未能獲得應有的提高。因此，您可能不會意識到您所言所寫的是完全錯誤的，全世界都曉得那是多麼荒謬。」[106]這是《德文

---

105 希臘神話中的大力神。
106 Auswüchse der chinesischen Presse. Der Ostasiatische Lloyd. 7. Juni 1907, S.1012.

新報》轉引一位年輕的中國新聞界先鋒的原話，「他毫不客氣地以此直面批評一位業界德高望重的老官員，這位年輕人所說的話，實在是應當成為所有中國報業領導人（負責人）日省己身之箴言。也許不可否認的是，中國報界在最近階段呈現出比以往更積極的工作態勢，但另一方面的錯誤也無法掩飾，惡意新聞頻現，誇張與蓄意的人身攻擊，這正是中國新聞業要進行改革的頭等任務。若將歐洲意義上的報刊概念放在中國而言，中國的報刊的確尚顯年輕，因而中國報刊所呈現出的發展尚不成熟與不發達便再正常不過了。在這一發展過程中，其記者必須具備的是職業責任感與榮譽意識。而另一方面，中國港口的報刊獲得了相對自由和不受阻礙的發展，在有些地方，報刊（作為信息傳播工具）還被廣泛應用起來，實際上報刊還在更遠的範圍內對更多的人產生了超過預期的影響；另一個不可忽視的事實是，報刊也成為政治生活和經濟生活的必需品。這就很容易看出，中國報刊若傳播錯誤消息或惡意扭曲事件真相，都會對其公共生活造成嚴重危害。」[107]

在芬克主編《德文新報》時期，對中國報業的發展給予了比以往更多的關注，這其中批評之聲迭起，真實、客觀與否，尚不能有定論，但至少都是據證評論。當然，無論如何，這樣的質疑和批評總是會引來作為當事者的中文報刊的反駁。例如，「擁有九千份發行量的上海中文報刊《中外日報》」[108]於一九〇七年五月二十四日的報導中引述了某德國報刊是這樣報導中國的饑荒的[109]：「饑荒在其它國家並非罕見，但卻沒有像在中國這般可怕，千百萬人為其折磨不堪。有三百萬人已經死掉，每天都有五千人死去，屍橫遍野。政府對此毫無憐

---

107 Auswüchse der chinesischen Presse. Der Ostasiatische Lloyd. 7. Juni 1907, S.1012.

108 Auswüchse der chinesischen Presse. Der Ostasiatische Lloyd. 7. Juni 1907, S.1012.

109 該處內容並非《中外日報》原文，為《德文新報》轉述。

憫之心，待人如牲畜一般。許多饑荒中的人以吃人維持生命，父母們將孩子相互交換來吃掉。此處要說的重點並非是那些絕望中的百姓，而是要指責政府的失職。誰若是捐錢，誰就是傻瓜；朝廷寵臣慶親王生日，單就一個官員便向其進貢七萬兩白銀；這樣一來，當然就沒有錢用在飢餓的百姓身上了。外國人捐錢是為了緩解百姓之苦，中國官員的錢卻用在給慶親王送禮上了。」[110]對此，《德文新報》也轉述了《中外日報》的駁論，該報認為：「這一德國報刊的報導並不完全正確，其對中國的境況作出的判斷是錯誤的，德國人對中國的情況知之甚少。但關於慶親王的報導確是屬實。雖然饑荒中的人們在挨餓，北京的人們在歡慶；可這事與外國何干！」[111]而接下來，《德文新報》對中國新聞業提出的批評就是由此引發出來的：「有趣的是，恰恰是從《中外日報》對『某德報』指責其荒謬中可以看出，這樣的指責文章是多麼無知。在這種情況下，按照新聞業界慣例，指控需點名道姓。而在我們有實名記錄的東亞德文報刊中，就沒有給這樣愚蠢的文章留下過版面空間。」[112]

　　自從進入二十世紀《德文新報》開始較為頻繁地關注中國報刊和中國新聞界，總會有長篇專門論述這一話題的文章不定期的在重要版面上出現，歷經數年，《德文新報》和整個中國新聞業都在成長，同時在增多的還有前者對後者的批評。是中國報刊界越發變得不堪？還是《德文新報》越來越瞭解中國新聞業，因而能越來越深入地看到其中的弊病？這並不是能以簡單的是與否作籠統回答的問題。若我們已經瞭解《德文新報》是一份怎樣的報刊，那麼至少可以確定，該報對中國報業的評論並非空穴來風且值得重視。

---

110 Auswüchse der chinesischen Presse. Der Ostasiatische Lloyd. 7. Juni 1907, S.1012.

111 Auswüchse der chinesischen Presse. Der Ostasiatische Lloyd. 7. Juni 1907, S.1012.

112 Auswüchse der chinesischen Presse. Der Ostasiatische Lloyd. 7. Juni 1907, S.1012.

　　一九一〇年，中國報界在《德文新報》中遭受的批評更甚。「若是只從表面來看中國報刊，可以得出的結論是，中國沒有比其報刊更惡意和危險的敵人了。中國的報刊幾乎沒有一天不虛構或者故意捏造點新聞。這些報刊在其讀者圈子裏——印數雖少，每份刊物經由的人手卻不少，往往是幾十個人甚至上百人同讀一份——何其混亂，從各方面來說，我們只能深表遺憾。在最近幾個星期，我們已經多次系統地對中國報界的反德情況作了報導；但這種詆謗行為，正如我們昨天可以針對日本或法國，明天可以針對英國或美國。」[113]《德文新報》對於中國報刊編輯的專業素質不高這一點，直言不諱：「很難說報刊的責任編輯是不是真正關心所發新聞是否有價值。很多情況下是他們缺乏判斷力；他們盲目地依賴自己的消息提供者，不加批判地將其內容發表出來，其報導無論所寫或所發佈的，都沒有規矩可言，如果第二天獲得影響力稍占上風的消息，前面的內容就會撤下。通常，如果是編輯或者報刊背後支持者希望的，假消息就會被炮製出來。雖然，這些消息很愚蠢，但依然會對大眾產生影響；大眾依據這種報導作出判斷，其後果就是得出荒謬的結論。此外，這些愚蠢、捏造的消息並不僅限於關於外國或對外關係的內容，與中國及大眾有關的消息也在此列。報刊經常不把讀者當回事。同一份報刊常常自相矛盾。同一件事情，今天說成黑的，明天又說成白的。」[114]

　　分析導致上述狀況的原因，《德文新報》認為，「幾乎所有中國報刊在很大程度上都存在令人難以置信的腐敗。誰出錢最多誰就能稱王稱霸。此外，中國編輯個人的情緒和感情也常常摻雜其中，他們以卑劣的詆謗為武器對付某官員或要人，而這些人往往是不願意與這種事

113　Die chinesische Presse. Der Ostasiatische Lloyd. 5. August 1910, S.125-127.

114　Die chinesische Presse. Der Ostasiatische Lloyd. 5. August 1910, S.125-127.

鬥爭的。……我們認為，中國報刊今日之所為，必將導致未來之惡果。中國報刊已經表現出了其不成熟和腐敗，無能力、無生氣，這都是事實，其渾水摸魚和人為製造混亂的行為致使全世界都飽受打擊。」[115]

對此，《德文新報》的態度是，「認為中國政府最緊迫的任務就是對中國報刊進行干預。辦法已經在手。我們完全明白，我們做此建議會被中國的偽進步者及其外國支持者詆毀為反動派。作為中國的真摯友人，我們不能對中國報界今日之狀況視而不見。我們必須表示希望中國政府能夠對報刊進行嚴格的控制。而少數的正派、可靠的報刊是不會受此影響的。」[116]除了中國自身的原因之外，聯繫到彼時德國國內新聞業與政府緊密相關這一事實，可以更好地理解《德文新報》為什麼會提出政府干預的建議。

但上述這一建議是否就意味著《德文新報》能夠認同政府過多地參與並影響報刊的立場或觀點？這一點是能夠找到證據來回答的：在該報關注中國官方資助報刊的文章裏，有如下闡述：「政府對報刊的資助，就其本身而言，在東西方國家是沒什麼兩樣的。關於資助的金額，受資助的報刊或多或少的都希望是多一些，而不是少一些。報刊的任務是支持政府的觀點，而後者則需要為此埋單。但也有國家政治的原因，特別是在語言混合區域或者特別的地區（租界），政府會出資以獲得報刊的支持。但凡政黨幾乎都需要交黨費；美國和英國的政客們對此都深有體會。報刊能收支平衡自然最好。報刊是源於西方的，中國報刊則還處於學童階段。中國報刊需要為招徠讀者而壓低價格，廣告相對還很少，中國的商業企業還未能認識到在報刊上宣傳自

---

115 Die chinesische Presse. Der Ostasiatische Lloyd. 5. August 1910, S.125-127.
116 Die chinesische Presse. Der Ostasiatische Lloyd. 5. August 1910, S.125-127.

己的價值所在。這就使得中國的報刊要生存下去就要有資金支持。他
們只能依賴廣泛的資助。私人辦報能收支平衡地支撐下去的並不多。
依靠政黨支持也幾乎不可能，因為中國尚未有穩定的政黨。依靠社會
團體支持的力量則微乎其微。中國的報刊因此只能依賴官員的支持。
這是一個公開的秘密，中國的報刊都承認，那些資助報刊的官員都是
被迫的。那些官員只能靠資助報刊，以堵住報刊的嘴巴，不至於在自
己有過失或失誤的時候被報刊揭露出來。只有這樣，他們才能得以安
寧。」[117]

　　「大多數中國的報刊都要依靠高層官員的支持才能得以生存。」[118]
在當時，看似是有些無奈之舉的官方資助報刊，卻也漸漸地讓中國的
許多地方官員主動、自願地對報刊進行資助，成為報刊的股東。《德
文新報》在一九〇九年年末報導官方資助報刊的相關內容時提到，當
時「江南各省要求官員退出報刊，撤回資本。但這看起來無法實現。
因為這些官員可以形式上撤出報刊，將資金以親朋的名義繼續資助報
刊，他們不能失去自己在報刊中的影響力，也不願放棄從中的所得利
益。真令人難以理解，地方機構上怎麼能做出這樣的決議。中國的官
員當然不會自己出手經商，但這並不妨礙他們以入股的形式參與到商
業公司之中。」[119]然而，這就導致「那些受官員資助的報刊必須為其
資助者說話。」[120]對此，《德文新報》毫無掩飾地表達了對中國報刊
的一種消極情緒：「大部分的中國報刊已經變得毫無個性和原則了。

117 Amtlich unterstützte chinesische Zeitungen. Der Ostasiatische Lloyd. 3. Dezember 1909,
　　S.1119-1120.

118 Zum Pressestreit. Der Ostasiatische Lloyd. 26. Februar 1909, S.424.

119 Amtlich unterstützte chinesische Zeitungen. Der Ostasiatische Lloyd. 3. Dezember 1909,
　　S.1119-1120.

120 Amtlich unterstützte chinesische Zeitungen. Der Ostasiatische Lloyd. 3. Dezember 1909,
　　S.1119-1120.

以前，中國報刊的態度都是進步的，而現在，他們的態度是保守還是
進步則要取決於其背後的資助官員。中國報刊停滯不前了。」[121]

話雖如此，芬克主編下的《德文新報》卻並不偏激，在拋出嚴詞
批評的同時，依然重視中國新聞界的想法。接下來的一九一〇年伊
始，該報轉載了上海幾份重要中文報刊「對公眾暢談新年願望的文
章」[122]：

《神州日報》[123]：

> 十餘年來，中國受到了越來越多的外來壓迫，在國內，騷亂危
> 險也不斷，有些人認為，中國沒救了。我們不相信中國沒有救
> 了。誠然，中國目前的狀況與歷代王朝末日之時頗為相似。因
> 此，我們應該走自己的道路。中國現在缺少的是統一的目標
> （整體利益）。
> 反對統一國家的建立會瓦解一個國家的民眾。全國民眾必須團
> 結起來。我們不相信這辦不到，也不相信這沒有意義。如果人
> 人都這樣想，中國就有救了。[124]

《新聞報》：

---

121 Amtlich unterstützte chinesische Zeitungen. Der Ostasiatische Lloyd. 3. Dezember 1909, S.1119-1120.

122 Neujahrsgedanken der chinesischen Presse. Der Ostasiatische Lloyd. 18. Februar 1910. 以下幾段均轉譯自《德文新報》，並非各中文報刊原文。

123 《德文新報》對《神州日報》的評價向來頗高，尤其是在報刊立場的獨立性方面，認為「由於《神州日報》從未對官員有過什麼稱讚，這就表明這份報刊大概是依賴於官員程度最小的。」Zum Pressestreit. Der Ostasiatische Lloyd. 26. Februar 1909, S.424.

124 Neujahrsgedanken der chinesischen Presse. Der Ostasiatische Lloyd. 18. Februar 1910.

庚戌年到了。庚戌年曾經是王朝的崢嶸歲月。最好的乃是一六
七〇年。康熙王朝時，國家秩序井然，禁止酷刑，代之以流放
寧古塔[125]四年，允許耶穌會信徒龍華民[126]向中國引入西方科學
知識。接下來的庚戌年是一七三〇年，情況就差了一些。在雲
南和貴州的土著部落髮生了暴動。接下來的第三個庚戌年一七
九〇年，尼泊爾王侯發動反叛，很可能是在印度英國人的幫助
下，打敗了中國軍隊。自那次中國在英國面前失敗，中國便一
直在英國面前無顏以對。第四個庚戌年，一八五〇年，太平天
國建立。自那時候開始，中國一年不如一年。皇權已開始搖搖
欲墜。民眾逐漸覺醒。為保皇權，宮廷召開國家議會。對中國
而言最重要的乃是立憲。光緒帝發佈詔書預備立憲，對於不積
極配合的官員予以嚴懲。……去年，哪裏有出版過教科書、最
簡單的字典或是小學課本嗎？省會城市和開放港口城市的預備
法庭在哪？連一次基本的人口普查也沒有完成。官員們沒人真
的想立憲自治。如果光緒帝的法令嚴格執行了，改革就不會夭
折，不負責的官員會得到嚴懲。[127]

---

125 寧古塔是中國清代統治東北邊疆地區的重鎮，是清代寧古塔將軍治所和駐地，是
清政府設在盛京（瀋陽）以北統轄黑龍江，吉林廣大地區的軍事、政治和經濟中
心。清太祖努爾哈赤一六一六年建立後金政權時在此駐紮軍隊。

126 龍華民（1559-1654）原名 Nicolas Longobardi，字精華，出生於意大利西西里地區
的一個沒落貴族家庭，一五八二年加入耶穌會。明末一五九七年作為天主教傳教
士前來中國傳教，首先到達澳門，主持廣東地方的教務。在傳教方式上，他主張
公開走向社會，發展教徒，要求入教者必須拋棄傳統的中國習俗。經過幾年的努
力，他發展了三百多名教徒。由於遭到當地人士的迫害，一六〇九年前往北京，擔
任了耶穌會中國傳教區會長。後因中國發生了迫害天主教的事件，龍華民與大多
數傳教士發生意見分歧。此外，他還一度參與政府修訂曆法，並活動於山東省。
參見：王治心：《中國基督教史綱》（上海市：上海古籍出版社，2007年）。

127 Neujahrsgedanken der chinesischen Presse. Der Ostasiatische Lloyd. 18. Februar 1910.

《時報》：

> 去年最重要的上書是開議會。如能獲批准，則可以好好慶祝新
> 年了。可惜好像不是那麼回事。我們不能在新的一年裏繼續空
> 期待。……在我們看來，防止危險發生的最有效手段乃是開議
> 會。對於那些沒有得到滿意答覆的人而言，現在開議會確實時
> 機還不成熟。別的國家都在進步，而中國卻在倒退。[128]

《申報》：

> 今年的希望，首先是能夠開議會。開議會的上書未獲通過，但
> 各省代表已聚集北京準備再次上書。希望這是最後一次上書，
> 那麼明年我們便實現了開議會。此外，還希望今年能夠開上院
> （Herrenhaus），並能有卓有成傚之工作。我們還期待省級第
> 二次議會。同樣重要的是，今年地方自治的準備。我們在新的
> 一年也希望國家償清債務，建立責任內閣，進一步規範國家財
> 政，建立海軍，各省重組軍隊，改善公共教育，實現小學義務
> 教育，司法體系實行新規程，廢除領事裁判權，改善交通狀
> 況，從外人手中購回鐵路。[129]

　　各主要中文報刊新年願望所闡述的都是國家與政治的大事，但
是，這些內容由《德文新報》匯總起來，並以〈中國新聞界的新年想
法〉（Neujahrsgedanken der chinesischen Presse）這一標題刊載出來，

---

128 Neujahrsgedanken der chinesischen Presse. Der Ostasiatische Lloyd. 18. Februar 1910.
129 Neujahrsgedanken der chinesischen Presse. Der Ostasiatische Lloyd. 18. Februar 1910.

卻透露出中國報界新的信息——中國報刊這一整體著實已經受到外國同行的重視，同時，中國人通過自己的報刊發表己見，這又是國人辦報日益成熟的信號。在這一時期，常常可見《德文新報》大篇幅轉載、轉引或轉述中文報刊對於各類事件的報導及評論，如〈報界論爭〉[130]、〈中文報刊關於北京新變化的報導〉[131]、〈中國報刊中的德國〉[132]、〈一份中國報刊對東亞政治的報導〉[133]等此類文章頻現。

　　中國報人逐漸開始意識到自己的責任，為國家、也為民族大業，一定應該有所擔當。《時報》有言：「中國的崛起取決於中國是否能擺脫西方國家。」[134]無論各類國人自辦報刊持守怎樣的立場和觀點，也無論其言論的對與錯，關心各自在華利益的西方國家已經不能再忽視中國新聞界的力量。

三　「一份中文報刊的週年紀念」[135]

　　一九一○年八月五日，《德文新報》報導過《北華捷報》的週年紀念活動，這是在中國近代報刊史上具有里程碑意義的一份外報，其重要性自不必說。而在兩周之後，〈一份中國報刊的週年紀念〉[136]文章又見諸《上海消息》的版面中。這既是記錄《中外日報》創刊十二

---

130 Zum Pressestreit. Der Ostasiatische Lloyd. 26. Februar 1909, S.424.

131 Die chinesische Presseüber die neuestenVer　nderungen in Peking. Der Ostasiatische Lloyd. 2. September 1910, S.235-236.

132 Deutschland in der chinesischen Presse. Der Ostasiatische Lloyd. 5. Mai 1911, S.417.

133 Einechinesische Zeitungüberostasiatische Politik. Der Ostasiatische Lloyd. 15. November 1912, S.440b.

134 Einechinesische Zeitungüber die Weltlage. Der Ostasiatische Lloyd. 14. Juli 1911, S.33.

135 此標題為《德文新報》報導原題轉譯，原題為 Einchinesisches Zeitungsjubiläum. Der Ostasiatische Lloyd. 19. August 1910, S.261.

136 Einchinesisches Zeitungsjubiläum. Der Ostasiatische Lloyd. 19. August 1910, S.261.

週年紀念活動的報導，也是德國在華報人借機對中國報刊的又一次
評價。

文章開篇簡單陳述了紀念活動的概況[137]：「《中外日報》值此創刊
十二週年紀念之際，邀請上海的中國同僚及外國同行出席八月十三日
（周六）在張園[138]舉行的慶祝活動。當日下午一點鐘，到客已逾兩千
人，到場的西方人並沒有幾個。如果一定要說有的話，那就是有幾個
日本人在場；現場，在中國人聚集的圈子裏不容易見到歐洲人的身
影，遠遠看去，只能看到日本人或中國人。」[139]《德文新報》為何要
強調到場的西方人並不多，這是值得思考的。

「一點半時候，在《中外日報》主編的致詞中，慶祝活動拉開了
帷幕。他說，該報在過去十二年中面臨的困難乃是關於國家與民族之
事。另外，《輿論時報》的年輕編輯還談到了整個中國報界都面臨的
困難。」[140]對此，《德文新報》對中國報界表示了理解與關懷，更給
出了熱情的鼓勵：「若是考慮到中國的新聞人在工作中的困難，尤其
是考慮到政府與外國人所施加的壓力，公眾就不會總是責怪他們了。
即使是掛靠在外國機構之下出版的中國報刊，也是受到壓制的。⋯⋯
幾乎所有的報刊言論都被調整至同一口徑，所有的報刊都必須忍耐到

---

137 該篇文章關於紀念活動概況的描寫還包括各界報人發言之後的娛樂節目介紹，與
　　下文討論內容無關，因此未詳細提及。《德文新報》對這次活動中娛樂節目的評價
　　是「相當不錯」，並記錄下「將近六點鐘時，慶祝活動結束」。Einchinesisches
　　Zeitungsjubiläum. Der Ostasiatische Lloyd. 19. August 1910, S.261.

138 張園位於今南京西路以南，石門一路以西的泰興路南端，其地本為農田，一八七
　　八年由英國商人格龍營造為園。一八八二年八月十六日，中國商人張叔和自和記
　　洋行手中購得此園，總面積二十一畝，起名為「味蒓園」，簡稱張園。
　　此後，張叔和又對該園屢加增修，至一八九四年，全園面積達六十一點五二畝，
　　為上海私家園林之最，園中並有當時上海最高建築「安塏第」（Arcadia Hall），可
　　以容納千人以上會議，一時登高安塏第，鳥瞰上海全城，成為遊上海者必到之地。

139 Einchinesisches Zeitungsjubiläum. Der Ostasiatische Lloyd. 19. August 1910, S.261.

140 Einchinesisches Zeitungsjubiläum. Der Ostasiatische Lloyd. 19. August 1910, S.261.

底。然而，國家和民眾不可能不希望報界有所發展。因此，我們希望
《中外日報》在經歷了十二年的困難與壓制之後，能夠堅持為其祖國
而工作，不止是下一個十二年，而是兩百年乃至兩千年。」[141]這樣的表
述應當可以理解成對中國新聞工作者的一種肯定：「發言者也普遍在
一種平和的語調下對政府進行了批評。但也並不缺乏激情。」[142]曾被
《德文新報》批評為不具專業素質、不具批判精神、不負責任的中國
報人，至少在這場慶祝活動中贏得了其德國同行的尊重。在文章的最
後，《德文新報》還送出了祝福：「我們希望藉此《中外日報》紀念日
之機會，中國報刊能使中國公眾認清其能力、知曉其良好願望，而不
致被誤解。在此，我們衷心向該報表示祝賀。祝願未來一切順利，最
重要的是，希望中國報業能夠逐漸從今日之困境走向成熟。」[143]

四　新政權下的中國報業

一九一二年，中華民國臨時政府成立不久，曾提議新的臨時政府
「應與德國和美國建立東亞三國同盟，中國新聞界對此反響強烈予以
支持。毫無疑問，比起不久之前，這一提議有助於消除全國新聞界對
於外國在華政策所持有的懷疑。」[144]在這一事件中，中國新聞界的態
度是有利於德國的，在此，並不排除《德文新報》因為己利[145]才作此

---

141 Einchinesisches Zeitungsjubiläum. Der Ostasiatische Lloyd. 19. August 1910, S.261.

142 Einchinesisches Zeitungsjubiläum. Der Ostasiatische Lloyd. 19. August 1910, S.261.

143 Einchinesisches Zeitungsjubiläum. Der Ostasiatische Lloyd. 19. August 1910, S.261.

144 Die chinesische Presse und die Mächte. Der Ostasiatische Lloyd. 27. September 1912, S.287.

145 一九一四年大戰爆發後，日本取代德國佔領青島。事實上，日本在德國佔領青島
之前就已對山東地區垂涎已久。相關內容參見：莊維民、劉大可：《日本工商資本
與近代山東》（北京市：社會科學文獻出版社，2005年）。

報導：

最明顯的例子是《民立報》所表現出來的觀點的轉變。該報不久前還懷疑德國在山東有侵略政策；如今，該報則認為，德國並無意侵佔中國領土。聯合了德國和美國，中國就能對俄日在東亞的政策予以反抗。

黃興元帥在《中華民報》[146] 上指出，只是與中國有經濟利益聯繫的國家，除了美國，還有德國，因此兩者能對中國保持友好的關係。該報也對可能出現的危險作了提醒，當中國在遠東地區形單影隻時，中國政府的責任就是要試圖與對中國態度友好的德國和美國達成一致。

獨立報刊《新聞報》也對結盟問題作了報導。該報對於中國與德美兩國的合作也是持贊成態度的。

不久之前，《天鐸報》討論過中日關係的問題；該報將日本視為中國的敵人。該報的一篇文章中明確表示：「現在以武力抗衡日本，我們還太弱。要對抗日本，現在唯一可以做到的就是抵制日貨。」[147]

---

146 《中華民報》於民國元年（1912年）七月二十日創刊，以「擁護共和進行防止專制復活」為宗旨。是同盟會系統各報中反袁最堅決的一份報紙。創辦人鄧家彥（孟碩）廣西人，日本法政學校畢業，曾任同盟會成都分會負責人。南京臨時參議院成立，鄧是代表廣西的議員。選舉第二任臨時大總統時，鄧力排眾議，獨投孫中山一票，以此深受袁世凱的忌恨。民國元年（1912年）八月，因揭發袁世凱未經國會同意私自向五國銀團借款兩千五百萬英鎊真相，被袁世凱政府向上海會審公廨起訴，致使鄧遭到監禁半年和罰金五百元。該報自鄧家彥被捕後，由汪洋接辦，因經濟困難，同年九月十七日被迫停刊。參見：賈樹枚主編，《上海新聞志》編纂委員會編：《上海新聞志》（上海市：上海社會科學院出版社，2000年）。

147 Die chinesische Presse und die Mächte. Der Ostasiatische Lloyd. 27. September 1912, S.287.

那一年，《德文新報》對於中國報界的狀況依然批評不斷，諸如許多中國人自辦報刊「大多數是已退職的官員或者已離校的學生在朋友的資助下創辦起來的，這些刊物的資金通常都非常有限，許多刊物沒有自己的印刷廠，工作人員貧乏且專業性不高。」[148]儘管如此，在各國角逐在華利益的競爭中，當優勢並不明顯的「德國能夠贏得中國新聞輿論的好感」[149]時，作為遠東地區德國人利益的機關報，《德文新報》對此[150]表現出了積極的態度。

一九一一年辛亥革命後，中國建立了新的政權。到一九一二年，「幾乎所有的中國部委都成立了或正在籌備成立自己的新聞部，曾經常常被瞧不起的中國新聞界現在有了自己的地位。」[151]不過，新的政權帶給中國報業新的發展機會，隨之而來的還有新的煩惱。當中國報人將自己的事業發展到一定程度時，中國的「報館街」也出現了。《德文新報》記錄下的中國「報館街」，依託的是建立新政權的革命

---

148 Die chinesische Presse in Peking. Der Ostasiatische Lloyd. 14. Juni 1912, S.510.

149 Der Nachtragsetat und die chinesische Presse. Der Ostasiatische Lloyd. 24. Dezember 1912, S.578-579.

150 此事是關於中國報刊如何看待德國在中國增兵，在文章中，《德文新報》引述了中國報刊的文章：「《民傳報》這樣表示：『《俄蒙協約》的簽訂已經為亞洲其他地區的發展打開了局面。日本軍方建議，在朝鮮駐軍兩個師以加強防禦，英國政府拒絕中國專員經由印度地區去往拉薩，表明滿洲與西藏局勢緊迫。這還不是全部。據柏林電報消息，德國外交部副部長齊默曼已請求國會預算委員會增加預算，用以加強膠州地區德國部隊的軍力。德國在膠州地區的行動，是我們需要特別注意的。』之後，該報又對帝國在中國的軍力情況繼續作了闡述：『自俄日在中國得以迅速發展之後，德國考慮最多的當然是商業貿易利益了。因此，在青島增加駐軍很可能並非是出於佔據地盤的貪婪，而是以防衛潛在威脅為主了。無論其增兵目的如何：中國是從中無利可獲的。這種情況比以前更加緊要。其真正的原因在於蒙古問題。如果我們的政府不能找到一個合理的解決辦法，中國可不會希望受到威脅。』」Der Nachtragsetat und die chinesische Presse. Der Ostasiatische Lloyd. 24. Dezember 1912, S.578-579.

151 Die chinesische Presse in Peking. Der Ostasiatische Lloyd. 14. Juni 1912, S.510.

這一背景：

> 柏林有報業集中的報館街，上海的山東路也同樣是中國報刊的
> 報館街。[152]形形色色不同黨派的報刊在這裏打著口水戰。一九
> 一一年辛亥革命期間，山東路報館街就是民意對此次革命的集
> 中反映。大批民眾擁擠在編輯部門口，等待獲取起義地區的最
> 新消息。最新消息被以大號粗體字刊載出來；有時候人們還期
> 待著最新的號外從編輯部的視窗發出來。報童們奔跑於大街小
> 巷，叫賣著花裏胡哨的戰鬥消息。而今天[153]，到處充斥著那些
> 革命者自己描繪並潤色過的勝利消息，山東路報館街與往常完
> 全不同，沒有在這裏蹲守等待最新消息的人，沒有沿街叫喊的
> 報童，編輯們對這些消息也不再盡心竭力，那些最新消息，人
> 們會隨手扔掉。如果拿這一次與一九一一年秋天的事情做比較，
> 那麼可以清楚地看到，這一次人們沒興趣『參與其中』了。[154]

　　對於這份立場明確的在華德國報刊來說，中國新聞界最不容置疑
的進步就是「中國報刊對德國的稀奇古怪的報導曾相當常見，在多年
的工作經驗積累之後，這種情況已不多見了。」[155]不過，中國報人們
畢竟不會刻意去討好德國人，因此，上述那種曾經相當常見的狀況

---

152 報館街即望平街，曾名廟街，清同治四年（1865年），英租界工部局定名山東路，
　　今山東中路，自福州路至南京東路一段，全長不足兩百米。參見：上海市地方志
　　辦公室：《上海名街志》（上海市：上海社會科學院出版社，2004年）。

153 該報導的背景為孫中山等革命黨人於一九一三年發動的反袁「二次革命」，又稱
　　「癸丑之役」。

154 „In der Zeitungsstrasse." ShanghaierNachrichten. Der Ostasiatische Lloyd. 25. Juli 1913,
　　S.236.

155 Chinesischer Pressklatsch. Der Ostasiatische Lloyd. 27. März 1914, S.278.

「時不時還會出現」[156]，讓德國人不禁緊張地認為，這些偶而出現的不利於德國的報導會擾亂公眾輿論。[157]但不管怎樣，到一九一四年，德國人給中國報刊的評價是：「中國報刊不再像過去那樣了；不用再去依賴那些幼稚的訊息源，不用再去對那些消息猜來猜去，中國報刊從未做得像現在這麼好過。」[158]《德文新報》對中國報業發展的評說，無論客觀與否，至少，中國人的報刊在這份在華外報的編輯部裏無可爭辯地受到重視。認同或反駁，肯定或批評，字裏行間皆是中國報刊發展的見證。

第四節　記錄中國近代報刊

　　諸多版本的中國近代報刊通史類著述通常會按照時間順序、以近代主要報刊為線索，展現出那段歷史的宏觀面貌。許多看似並不占重要地位的報刊往往會被忽略，只有在近代報刊名錄類的文獻彙編中才能找到其名號。然而，由於歷史文獻存留的限制，中國近代許多曾經存在過的報刊難免被埋於塵埃之中。這也就意味著，中國近代報刊史研究領域的許多問題被埋沒了。

　　筆者在查閱《德文新報》的過程中發現，這份德文報刊不但對中國報界問題予以重視，而且還對那個時期諸多新生的中國報刊做了甚為細緻的記錄。辛亥年前後的中國報界，新報刊「如雨後春筍般出現」。[159]根據《德文新報》的記錄[160]，這其中，官辦報刊、官方資助

---

156 Chinesischer Pressklatsch. Der Ostasiatische Lloyd. 27. März 1914, S.278.

157 Chinesischer Pressklatsch. Der Ostasiatische Lloyd. 27. März 1914, S.278.

158 Chinesischer Pressklatsch. Der Ostasiatische Lloyd. 20. März 1914, S.253.

159 Die chinesische Presse in Peking. Der Ostasiatische Lloyd. 14. Juni 1912, S.510. 此說法源於《德文新報》一九一二年論述北京的中文報刊時的觀點。縱觀當時全國各主要城市報界情況，亦是如此。

報刊以及民間自辦報刊各分天下。與此同時，作為一份在華外報，《德文新報》盡其所能地記錄下了各類報刊在中國的狀況。或是一句話的簡單介紹，或是在介紹新報刊的同時，穿插發表意見，《德文新報》對於彼時各類大小中國新報刊的重視程度，是大多數中外報刊都難以做到的。這些記錄隨《德文新報》留存至今，可以為現有的中國近代報刊名錄補遺。而這些報導對近代中國報刊史更為重要的意義在於，為我們提供了德國報人的視角，去認識誕生在我們自己國家裏的各類報刊。

一　北京報刊

近代報刊在中國出現了半個多世紀之後，清末統治階層對於這一傳播媒介的認知程度絲毫不亞於西學與新文化引導下的那批中國人。[161]也就是說，辛亥年前後開始的那段中國人自辦報刊高潮，從晚清政府到民國政府，官方在其中的參與度是很高的。因此，論及政治中心北京的報刊，首先要說的當然是官方刊物。

根據《德文新報》的記錄，北京原來並沒有政府機關報，直到清廷在一九〇七年公佈預備立憲之官方備忘錄中，同意出版「官方公報」。「這份新刊物的意義在於，在將來，『使所有官員及普通人民都能有機會通過該報詳細深入地瞭解政府事務，因為所有中央政府官員及省府的政務報告都將付印於該報之中。』為滿足其花費，財政部臨

---

160 本文在論述近代中國報業時所取材料主要來自《德文新報》，是為呈現該在華外報視角下的近代中國報業之面貌，以期為近代中國報業史研究提供新的材料。觀點之是非曲直、客觀與否，均待後來者言。

161 事實上，晚清歷史清楚地表明，清廷內諸多官員亦是屬於西學與新文化引導下的那批中國人。

時預支付資金兩萬兩；其餘花費按照每天印刷一萬份預計費用六千元，根據各區域刊物分發數量的不同，每年來自各省上繳的可用資金為每省份一千到三千元。」[162]清廷於九月十三日批覆通過了該報的運作事宜。在《德文新報》看來，「至少，通過《北京官報》這樣一份還並不是很完善的刊物，能讓外國對清廷政府的治國措施獲得更清晰的瞭解。」[163]

與近代中國民辦報刊常常因資金短缺而被迫停刊形成鮮明對照的是官辦報刊的財大氣粗。這一點，作為外來者的《德文新報》看得十分清楚。該報一九一〇年七月八日的一則短消息，也記錄了這樣的狀況：「北京的中文報刊數量再次增加。首都的機關報刊與其在安徽省的隸屬刊物於上周創刊，該報獲得的款項為三十八萬兩白銀。」[164]

轉年之後，「慶親王與郵傳部尚書盛宮保（盛宣懷）打算在北京籌辦一份報刊，投資白銀四十萬兩，用以對付中國其它報刊反對鐵路國有化[165]的事情。」[166]根據中文報刊報導，「弗格森（Ferguson）博士被任命為郵傳部顧問，這位半官方中文報刊《上海泰晤士報》（Shanghai Times）的前任發行人，與郵傳部尚書盛宮保是上海《新聞報》的共同擁有者，二人已退出《新聞報》。」[167]同時，《德文新報》在轉引中文報刊的相關報導時，還特別注意到，「中國的報刊在

---

162 Die chinesische Presse. Der Ostasiatische Lloyd. 11. Oktober 1907, S.654-656.

163 Die chinesische Presse. Der Ostasiatische Lloyd. 11. Oktober 1907, S.654-656.

164 Neue chinesische Zeitung in Peking. Der Ostasiatische Lloyd. 8. Juli 1910, S.37.

165 一九一一年前後，清政府修鐵路主要靠民間集資，那時候，修鐵路是一門生意。一九一一年五月，清政府剛上任的郵傳部尚書盛宣懷則提出了鐵路國有化政策。參見：趙爾巽等撰：〈盛宣懷傳〉，《清史稿》（北京市：中華書局，1977年），卷471，頁12812。

166 Eine neue amtliche Zeitung. Der Ostasiatische Lloyd. 14. Juli 1911, S.33.

167 Eine neue amtliche Zeitung. Der Ostasiatische Lloyd. 14. Juli 1911, S.33.

報導此事時，將弗格森與盛宣懷退出《新聞報》的消息與上述提到的在北京籌辦一份官方報刊的消息相互聯繫了起來。」[168]

　　當然，作為大眾傳播媒介的近代報刊，並不是生而為政治工具的，即使是在政治統治中心的北京亦是如此。二十世紀最初十年，「滿清王朝在北京出版的日報大概有十種，像《北京日報》（Peking-jih-pao）[169]、《民事呈報》（Min-shih-cheng-pao），以及廉價的《愛國報》（Ai-kuo-pao）等，都是北京本地經常被傳閱的報刊。」[170]

　　另外，《德文新報》在關注中國報業的文章中還常常提到官方資助報刊，這一對報刊性質的界定往往是具有不確定性的，同一份報刊在不同時期有不同的資助人，這很常見。並且，官方資助報刊，其官方資助人是不會現身的，各類說辭、證據，都沒有十足的把握可信。但是，可以肯定的是，《德文新報》非常願意將這類報刊官方資助的性質強調出來。而事實上，這類報刊一般是屬於民間自辦報刊的。

　　與官方報刊相對的則是民間自辦報刊，這也是那一時期中國人自辦報刊的主力軍。

　　那一時期以廣東黨派為代表的新興力量也在中國報刊發展中扮演了重要角色。「在北京的廣東黨派代表人物唐紹儀、孫逸仙和黃興先後創辦了《國風日報》（Kuo-feng-jih-pao）、《民國報》（Min-kuo-pao）及《共和日報》（Kung-ho-jih-pao）。另外，《國風日報》出版兩個月後，唐紹儀就在上海又創辦了一系列大型報刊，其中最重要的是《民事報》（Min-Shih-pao）、《天說報》（Tien-Shuo-pao）及《民傳

168　Eine neue amtliche Zeitung. Der Ostasiatische Lloyd. 14. Juli 1911, S.33.

169　根據《德文新報》的報導，該報是當時北京規模最大的報刊，由袁世凱主導創辦。Die chinesische Presse in Peking. Der Ostasiatische Lloyd. 14. Juni 1912, S.510. 另外，該報與今《北京日報》並無關係。

170　Die chinesische Presse in Peking. Der Ostasiatische Lloyd. 14. Juni 1912, S.510.

報》（Min-Chüan-pao）。」[171]同時，《德文新報》明確地認為，「創辦
這些報刊的政黨是力求在中國建立憲政的。」[172]民間運動也少不了報
刊的參與，「以《女書日報》為首的幾份報刊是支持華北地區婦女解
放運動的重要力量；居於北京和天津的中國金融界人士則是其背後的
資金支持者。」[173]

論及彼時中國各地的報業發展情況，上海自是比北京發達，北京
的報刊中有許多是上海源流的。據一九〇九年十二月二十四日《德文
新報》報導，「北京即將新出版一份中文刊物，規模較大，奉行獨立
自主原則。這份《北京時報》將於明年在北京誕生，是上海發行量最
大的中文刊物《時報》的姊妹報刊。」[174]

廣東的新興黨派力量在北京創辦的報刊還不止於此。一九一二
年，「廣東人在北京出版發行了一份新的英文晚報《北京每日郵報》
（Peking Daily Telegraph）。」[175]

二 上海報刊

上述提到的報刊多是發生在政治中心北京。然而，單獨就報業環
境來講，十九世紀末二十世紀初，「中國最重要的商業中心上海可以
被視為中國報業的典型代表。」[176]《德文新報》身處上海，在報導各
類消息時，很大程度上也會吸收各類中文報刊的內容，因此，對上海
的中文報刊一一作以介紹和點評，自然是很有必要的。

---

171 Die chinesische Presse in Peking. Der Ostasiatische Lloyd. 14. Juni 1912, S.510.

172 Die chinesische Presse in Peking. Der Ostasiatische Lloyd. 14. Juni 1912, S.510.

173 Die chinesische Presse in Peking. Der Ostasiatische Lloyd. 14. Juni 1912, S.510.

174 „Shi-pao" und "Pe-king Shi-pao". Der Ostasiatische Lloyd. 24. Dezember 1909, S.1281.

175 Eine neue Pekinger Zeitung. Der Ostasiatische Lloyd. 20. September 1912, S.260.

176 Die chinesische Presse. Der Ostasiatische Lloyd. 11. Oktober 1907, S.654-656.

上海的中文報刊中，最具有代表性的、也是最重要的為以下八份：《申報》、《新報》、《南方報》、《新聞報》、《中外日報》、《同文滬報》、《時報》及《神州日報》。上海最早的報刊是《申報》。《申報》每日發行量為一萬一千份，大部分為國內發行，而在上海本地的發行量則不如以往。《申報》最初的風格是嚴謹保守，現在則傾向於溫和地進步。該報認識到改革的必要性，但對急速的改革提出警告，認為急功近利會帶來腐敗；學校和教育的話題是該報喜歡的，經常對這類話題展開深入探討。該報還認為，所有改革，無論是在模式方面還是在金錢方面，都應當避開外國的幫助。在其眼中，外國人都是中國的敵人。順便還要認可一下該報的公平性，對所有外國皆一視同仁——持敵意的態度；最值得強調的是，該報的批評言論從不以謾罵的方式進行，總的來說，其舉止始終保持著報刊的正派與尊嚴。[177]

《申報》被描述為文人報刊，《南方報》則可被視為有進步思想傾向的官方報。該報由一定數目的官員創辦。其主要合夥人包括前上海道臺及後來的駐日本大使蔡駿（„Tsai Chün"），據說袁世凱也參與其中。《南方報》每日發行量約六千份，因花銷太大，盈利狀況不佳。很明顯，該報的潮流斷然是趨向自由的，大部分較多關心內外政務，文化、經濟內容則要退居次席，但絕不會被忽視。該報大多論述的是憲法、官僚機構改革等類似

177　《德文新報》在另一篇文章中也曾專門提到《申報》：「在上海，英國人在上世紀六〇年代創辦了《申報》，該報至今仍擁有中國最大的讀者群，其最初階段風格嚴謹保守，而在九〇年代改革（應是指戊戌變法）之後，則突然轉為溫和派繼續發展。該報現在是同情改革的，但其所傾向的改革最好是沒有外國人相助的。該報偏好刊載文化、教育類內容，該報處理這類題目的內容是理智而溫和的。」Die chinesische Presse. Der Ostasiatische Lloyd. 11. Oktober 1907, S.654-656.

的內容，毫無疑問，該報認為這些都必然不需要外國的說明。該報每日還附有英文副刊，刊載短小的文章及每日新聞。

與往昔相比，《新聞報》的重要地位漸失，發行量在八千份左右，其讀者多數是在上海本地，人們都覺得，《新聞報》比起更具現代性的《新報》來，顯得有些過時了，而且在新聞報導上，《新聞報》也有些遲鈍。後來《新聞報》斷然決定傾向進步，針砭時弊，偶而也會出現對人進行人身攻擊的情況，但多數情況下還是能保持其體面的姿態和尊嚴。該報對日本是持敵視態度的；特別針對日本在滿洲的行動給予了嚴厲和辛辣的抨擊，並借這一點將日本視為中國絕對的敵人。就非政治性新聞來說，在報導商業及交通方面的內容上，該報可稱為中國報刊的標杆。在幾個月之前創辦的《新報》，看上去應該能夠繼承《新聞報》的衣缽。

頗具特色的《中外日報》（ „Chung-wai-jih-pao"/„Universal Gazette"）

發行量約每日九千份。並不能說，該報一直保持著彬彬有禮的語氣。其文章常常粗俗而刻薄；該報會煽動反對外國或與某個不受歡迎的人作對，尤其是那些本沒有什麼瑕疵的（外國）官員，當有公共事件發生或某一問題激起民憤時，比如上個月的苦力移居事件，該報就會以尖刻的言語進行最大聲、最長期的斥責。當然，《中外日報》畢竟只是一份報刊而已，缺點在所難免。將那些煽動性的文章暫且擱置，該報還是經常會有一些高品質的深度報導的，這些文章說明該報對現狀及未來的充分認識。該報對於外國是採取完全逆反態度的，但對於日本卻又有一定傾向性，儘管這一點使其時常遭受尖銳的抨擊。該報可以說是改革造成的產物。

在上海，《同文滬報》和《時報》（Eastern Times）是由日本軍費出資支持的。

《同文滬報》是日本人出資所辦的報刊，其傾向當然是宣揚日本是中國唯一的友邦，日本應是中國的榜樣，其潛在動機則是盡可能使中國成為其附屬國。然而，這份報刊的意義卻無足輕重，其日發行量不過五百份而已[178]。

與此相對，《時報》在當時是最重要的，也是被最廣泛閱讀的報刊之一；其日發行量可達一萬三千份，其中有相當一部分是在上海以外的地區發行的，尤其在學校裏被頻繁傳閱。該報對學校之事頗為關注，而對政黨之事的報導則更多；例如，幾個月前，該報站在日本的立場上對學生保護革命者進行了譴責。該報空洞、誇張的修辭風格可能也有助於其在報業圈子裏獲得知名度。另外，這份刊物也確實足夠圓滑精明，能夠將所有方面問題協調平衡；當然，它也並不缺乏懷疑能力和抨擊能力，其用語常常十分犀利尖刻，但並沒有陷入《中外日報》的語調[179]中；而是堅持一種更高的姿態。[180]

如前所述，《時報》在很大程度上受日本影響，那麼，很自然地，該報會將日本及其政治模式描述成中國的楷模。同時，正如滿洲問題產生以來所形成的反日情緒一樣，該報也對日本之前在滿洲的所作所為進行了嚴厲的譴責。在對待其它外國國家

---

178 《德文新報》在另一篇論述中國報業的文章中還認為，「最為進步且偶有反對派傾向的是上海的《南方報》和《同文滬報》，這兩份報刊都是受中國海外留學生之影響的。另外這兩份刊物總是優先選取政府官員管理和重組的問題作為報導對象，主張立即立憲及實施其它方面的改革。」Die chinesische Presse. Der Ostasiatische Lloyd. 11. Oktober 1907, S.654-656.

179 即前文所指的《中外日報》那種粗俗且煽動性的語調。

180 意指一種更具高度且相對客觀的姿態。

的問題上，《時報》也是充滿了敵意，這一點是與其它報刊沒
什麼兩樣的，有時候會對德國及德國的對外政策進行攻擊，而
另一方面，該報對德國的功績也不會吝嗇褒獎，尤其是在軍事
方面，德國是獲得了公認的好評。[181]

　　以上轉引的是《德文新報》中一篇完整介紹上海主要報刊的文
章。與今日我們所見之中國近代報刊史類著述的相同之處在於，《德
文新報》也對這些刊物的基本情況作了介紹，但不同之處是，對於每
份刊物的基本情況介紹並不面面俱到，也就是說，在《德文新報》介
紹一份刊物時，必然不會出現辦報時間、地點、創辦人姓甚名誰等一
應俱全的情況。發行量代表一份報刊的影響力，因而這是《德文新
報》在記錄以上幾份刊物時必然要提到的一點；至於是否介紹辦報者
何許人也，則取決於其是否影響這份刊物的報導傾向了；在對某份刊
物的言論傾向發表觀點時，則多用舉例的方式予以表達。總的來說，
《德文新報》在介紹報刊時，評論的文字要多於客觀的信息羅列。

　　除了綜合性報刊，上海其它門類的新報刊亦是蓬勃發展，與北京
相比，其消閒刊物更勝一籌。一九一三年夏季，《德文新報》就對兩
份新出版的消閒刊物做了報導：「在上海，自本周開始，在每周六上
午新出版一份名為 *China Illustrated Chronicle* 的刊物，內容包括許多
上海生活的圖片，奇聞趣事，關於政治、時尚、體育等的文章，以及
一些關於中國及世界的小說、閒談。而內容更為豐富、廣泛的刊物則
是今年夏季號的半年刊 *Harvey's Annual*，其內容包含許多精彩的美
國、德國、英國及上海的系列小說，幽默故事，旅遊指南等。」[182]

---

181 Die chinesische Presse. Der Ostasiatische Lloyd. 21. Juni 1907, S.1108-1111.

182 Zwei Shanghaier Zeitschriften. Shanghaier Nachrichten. Der Ostasiatische Lloyd. 8. August
　　1913, S.255.

三　滿洲地區報刊

　　滿洲地區與各國爭奪在華利益緊密相關，因此，該地區的報業發展情況也是《德文新報》非常關注的對象。比起政治中心北京和商業中心上海，滿洲地區的報刊境況別有不同。一九〇七年七月十九日，該報在頭條位置，以兩個版面的篇幅論述了中國滿洲地區的報業情況。

　　一九〇七年，「《盛京時報》在奉天創刊。該報被認為是東三省中文報刊的領銜者。此刊的新聞都是有益於滿洲地區發展的，其豐富的內容無其它報刊可敵。其特殊之處則在於該報的版面安排迎合了歐洲讀者的閱讀習慣，但在這裏要指出的是，《盛京時報》是日本官方在滿洲的機關報。但凡定期讀過該報的人都能肯定，該報是日本設在奉天的總領事館的傳聲筒，所刊載的內容需受到日本總領事館的監管。《盛京時報》的主要刊載內容都是從日本的立場出發的，除此之外，該報還常常與德國唱反調。尤其是關於德國公司向中國官方供應武器一事，該報就明確表示了不滿。此外，該報還會從歐洲其它報刊上選擇一些與其口徑一致的反德文章進行翻譯並刊載。」[183]

　　除此之外，「日本還在滿洲地區的大連、牛莊、安東、遼陽和瀋陽分別出版了五份日文刊物」[184]，並且，《德文新報》認為，「這些報刊都是為日本在滿洲的野心服務的。一方面，這些報刊常常發表威脅中國的文章，同時，為推進日本在中國政治和經濟野心的實現，這些文章也必然會出現在日本人所辦的中文報刊中。日本要移民至滿洲，建立報刊是必需的一部分。」[185]

　　無論是晚清還是民國，當政者當然不能坐視中國的滿洲肆意充斥

183　Die Presse in der Mandschurei. Der Ostasiatische Lloyd. 19. Juli 1907, S.112-114.

184　Die Presse in der Mandschurei. Der Ostasiatische Lloyd. 19. Juli 1907, S.112-114.

185　Die Presse in der Mandschurei. Der Ostasiatische Lloyd. 19. Juli 1907, S.112-114.

著別國的報刊，並日漸強大起來。「直到新任東三省總督趙爾巽[186]上任，奉天的《東三省日報》（前《東三省公報》）才有了資金支持。趙多次以《東三省日報》為平臺與《盛京時報》代表的日本總領事展開論戰。《東三省日報》是站在中國利益一方的溫和派報刊，從其刊載的消息來看，該報也是站在徐世昌一邊的。遺憾的是，該報發佈消息的時效性不強，但是憑藉與官方的良好關係，該報又能獲得一些不對大眾開放的消息。」[187]

　　除了日本之外，在東三省地區辦報力量最為強大的國家是俄國，哈爾濱則是在華俄文報刊的主要聚居地之一。《德文新報》重點提到的有四份，*Novi Krai*，*WjestnikWostoka*，中國東部一家鐵路公司的官方雜誌 *HarbinskiWjestnik*[188]，以及這四份刊物中規模最大的 Harbin，這些刊物都是為俄國在遠東地區的利益服務的。另外，還有在符拉迪沃斯托克出版的兩份刊物，一份是 *Wladiwostokski Wiesnik*，許多歐洲

---

186 趙爾巽（1844-1927），字公鑲，號次珊，清末漢軍正藍旗人，祖籍奉天。清代同治年間進士，授翰林院編修。歷任安徽、陝西各省按察使，甘肅、新疆、山西布政使，湖南巡撫、戶部尚書、盛京將軍、湖廣總督、四川總督等職，宣統三年（1911年）任東三省總督。武昌起義後在奉天（今遼寧）成立保安會，阻止革命。民國成立，任奉天都督，旋辭職。一九一四年，任清史館總裁，主編《清史稿》。袁世凱稱帝時，被尊為「嵩山四友」之一。一九二五年段祺瑞執政期間，任善後會議議長、臨時參議院議長。

187 Die Presse in der Mandschurei. Der Ostasiatische Lloyd. 19. Juli 1907, S.112-114.

188 《德文新報》在一九一○年以短消息的形式再次報導了哈爾濱俄文報刊的狀況：「哈爾濱目前有三份俄文報刊。《哈爾濱信使報》（Charbinski Wjestnik）是俄國鐵路局官方報刊，專為其利益服務。《新天地》（NovojaSchisu）是第二份，傳播範圍最廣，是專為俄國人在滿洲經濟利益服務的，因此擁有明確的讀者圈子。該報一般來說對於其它外國人的態度溫和，但在個別情況下，也會向對方實施犀利的反擊。該刊在周日也會有幽默小品附刊，但內容並不低俗，該報還是較偏於政治性的。影響力最小的是 Novi Krai（字面意思也是「新天地」），日俄戰爭後從旅順遷到哈爾濱，該報過去的聲譽已落千丈，基本不再有什麼影響力可言。」Russische Zeitungen in Harbin. Der Ostasiatische Lloyd. 15. Juli 1910, S.68.

讀者藉此刊來瞭解商業消息，另一份是 *Priamorski Krai*，該刊的讀者大都是居住在滿洲的俄國人。」[189]

不難理解，《德文新報》並非是漫無目的地關注滿洲地區報刊的。清末的一九○七年，剛剛進入中國不久的德國人卻將視野散佈在整個遠東地區，他們堅信，「無論是在歐洲，還是在東亞，人們都需要報刊來影響大眾」[190]，面對在滿洲地區已建立起多份報刊的競爭對手日本，德國人認為，「無需高估日本在中國的控制力，也無需高估在滿洲出版的日本報刊對西方國家的威脅，至少，不會對德國構成威脅。」[191]《德文新報》建議，「在北京已派駐德國公使的情況下，如果德國也能派一個公使到滿洲，那麼德國在這一地區便也能獲得像日俄一樣的利益。此外，這也是向中國政府表明態度，德國要在滿洲地區常駐，如此一來，以后德國在滿洲分享利益就是順其自然的了。」[192]

四 其它地方性報刊

《申報》發刊於上海，但卻不是一份地方性報刊，其影響力遠至周邊各個省份。[193]但是，進入二十世紀之後，各地的新報刊陸續湧現。根據《德文新報》的記錄，一九○七年，江西省的機關報《江西日官報》和《官辦江西日報》創辦，南京總督的官方機關報《南京官報》創刊，貴州省唯一的刊物《今報》在貴陽府發刊，另外還有《北

---

189 Die Presse in der Mandschurei. Der Ostasiatische Lloyd. 19. Juli 1907, S.112-114.

190 Die Presse in der Mandschurei. Der Ostasiatische Lloyd. 19. Juli 1907, S.112-114.

191 Die Presse in der Mandschurei. Der Ostasiatische Lloyd. 19. Juli 1907, S.112-114.

192 Die Presse in der Mandschurei. Der Ostasiatische Lloyd. 19. Juli 1907, S.112-114.

193 《德文新報》曾提到過：一九○七年前後，「無論在資歷還是作用方面，《申報》在江西省都是走在報刊前列的。」Die chinesische Presse. Der Ostasiatische Lloyd. 11. Oktober 1907, S.654-656.

京日報》、芝罘的《日日報》、河南省開封府的《河南官報》及滿洲盛
京的《東三日日報》，也都在這一年開始發行。[194]在《德文新報》看
來，「這些報刊大都是溫和的、並且是同情改革的，但卻也都像《申
報》那樣，宣揚（中國的）改革最好是沒有外國人相助來完成的。」[195]

　　從《德文新報》論述中國報刊的文章中能夠明顯地看到，該報總
是喜於討論中國報刊的傾向性問題。辛亥前後，在變動的格局之中，
從德國人的論述裏，也可以對彼時中國報刊所扮演的政治角色窺見
一二。

　　「在山東省的首府濟南府，幾年前由政府支持創辦的《濟南官
報》常常有論述關於膠澳租借地及其與濟南府政府關係的文章刊載；
該報的傾向是溫和偏自由的。」[196]

　　「在南方出版的報刊還要提到廣東的《羊城日報》（1897年）及
一九〇二年創辦的《福州日報》（福建省），以上兩份都是政府刊物並
傾向於同情革命。」[197]

　　無論是保持溫和的態度，還是選擇隱約地同情革命，這樣的報刊
在晚清政府的眼皮底下都尚可安然生存。《德文新報》明確指出，「在
中國出版的報刊不能公開反對政府；報刊很容易被壓制，並會進一步
遭到停禁。因此，報刊必須在中國政府管轄範圍之外為自己尋找地
盤，以擺脫出刊的阻礙。」[198]這就解釋了為什麼在上海、天津、武漢
等設立租界的地方會出現大量的中國人自辦報刊，用以宣傳不同於傳
統中國的新式思想。但是，租界在地理位置上畢竟是囿於晚清政府的

194　Die chinesische Presse. Der Ostasiatische Lloyd. 11. Oktober 1907, S.654-656.

195　Die chinesische Presse. Der Ostasiatische Lloyd. 11. Oktober 1907, S.654-656.

196　Die chinesische Presse. Der Ostasiatische Lloyd. 11. Oktober 1907, S.654-656.

197　Die chinesische Presse. Der Ostasiatische Lloyd. 11. Oktober 1907, S.654-656.

198　Die chinesische Presse. Der Ostasiatische Lloyd. 11. Oktober 1907, S.654-656.

管轄地之內，相形之下，香港則是比租界更為安全的革命派報刊生存
的理想之地，「因此，兩份反清的中文報刊《中國日報》和《香港日
報》分別於一九〇〇年和一九〇三年在香港創刊。」[199]

　　除了中國人自辦報刊，《德文新報》還尤其關注那些受到在華外
國因素影響的中文報刊。從德國人的視角看過去，每一份在華外報都
代表著其背後國家的力量，每一個力量都是德國在華利益的競爭對
手。「天津的《天津日日新聞報》、北京的《順天日報》及在上海出版
的《中外日報》和《同文滬報》，其創刊或維持發展都或多或少地要
受惠於日本人的資金支持。另一方面，處於美國影響之下的上海《新
聞報》，於一八九三年創刊，去年，在無損於其親美傾向的基礎上，
按照英國公司法進行了重組。該報崇尚進步思想，與日本敵對，尤其
是最近在滿洲問題上與日本勢不兩立，在日俄戰爭中被認為是公開親
俄的。該報每期發行量約一萬份，其刊載內容尤為偏好商貿及交通運
輸方面。在某種程度上，《新聞報》的對手是《中外日報》，但《中外
日報》的語氣卻不總是像《新聞報》那麼高雅講究。《時報》為一九
〇二年前改革派著名人物廣東人康有為創辦，康有為乃一八九八年光
緒皇帝實施戊戌變法的靈魂人物，變法失敗後流亡，現居於日本。該
報深入探討當今時事，由於其內容可信，對事看法公道，也許還因為
該報誇張的風格尤其受中國人的喜愛，因而每期發行量達到一萬三千
份。天津出版的《大公報》在一定程度上是受法國影響的，而袁世凱
所辦的當地機關報《北洋官報》是親日的。同樣也是在天津編輯出版
的報刊還有《津報》。」[200]

199　Die chinesische Presse. Der Ostasiatische Lloyd. 11. Oktober 1907, S.654-656.
200　Die chinesische Presse. Der Ostasiatische Lloyd. 11. Oktober 1907, S.654-656.

五　在華外報

在華外報，一般是指在華外國人所辦報刊，通常包括各語種外文報刊、中外文混合報刊及中文報刊。[201]

總體來看，《德文新報》對在華外報的報導分為兩類，一是對新出現報刊的介紹，二是對已有報刊現狀的報導。很明顯，同為外來者，德國人對在華其它國家在報業領域的活動是相當注意的。前文所述《德文新報》曾一再強調德國人在遠東地區創辦報刊的重要性，與此正是互為呼應。

「外國報刊在中國目前還扮演著比中國報刊更有影響力的角色，因為他們已經通過其新聞通訊社深深影響著中國報業，並且由此擴大著中國受眾的圈子。在過去的二十年中，繼香港之後，青島和澳門的一些公共場所中也出現了英、德、法文的報刊、雜誌，但同期出版的俄文刊物卻大多僅能在短期內勉強維持生計。[202]這是《德文新報》在一九〇七年創刊二十一年時對當時在華外報的簡短綜述。具體介紹如下：

> 香港的四份英文報刊《香港孖剌西報》（Hongkong Daily Press）、《德臣西報》（China Mail）、《士蔑西報》（Hongkong Telegraph）及《南華早報》（South China Morning Post）在芝罘、天津及上海都能買到，因此，《芝罘郵報》（Chefoo Daily Mail）及天津出版的《中國時報》（China Times）和《京津泰

---

201 這幾類外國人在華所辦的中文報刊，大多是有中國人參與、主筆的。《申報》等許多著名的近代中文報刊最初都是出自外人之手，但後來幾經輾轉，也就成了中國人自己的報刊。

202 Die chinesische Presse. Der Ostasiatische Lloyd. 11. Oktober 1907, S.654-656.

晤士報》（Peking and Tientsin Times）至多也就是讀者的第二
選擇。在中國出版最久且最重要的英文報刊是創刊於1864年的
《字林西報》，同為在上海出版的外報還有與美國同一鼻孔出
氣的《上海泰晤士報》（Shanghai Times）、《文匯報》及受俄國
影響的《捷報》（China Gazette）。《字林西報》和《文匯報》
分別出刊《北華捷報》和《華洋通聞》作為其周末特刊。還有
幾份在上海出版的專業性周刊或月刊，如《東方素描》
（Eastern Sketch）、*Social Shanghai*、*China Bussiness Exchange*
（Anzeigenblatt）、*Saturday Revue*、*The Bund*，這些刊物的重
要性都居於次要地位。此外，還要提到的是唯一在中國出版的
日本刊物是《上海日僑》（The Shanghai Nippo）。[203]

在華法文報刊有兩份，分別是在天津出版的《天津信使報》
（Courier de Tientsin）和在上海出版的《中法新彙報》
（L'Echo de Chine），其中後者還出版周末特刊。

在澳門則有葡萄牙文報刊 *Boleto de Provinzias de Macao e
Timor* 出版。

最後要說的是於一八八六年十月在上海創刊的周報《德文新
報》，本報是遠東地區甚至延伸至整個東亞地區最早的德文報
刊，並從今年開始增加出版了「上海消息」副刊。此外，在青
島和天津的德文報刊還分別有《青島新報》（創刊於1904年）
和《華北日報》（創刊於1905年）。德文的 *Brigade Zeitung* 在
佔領軍撤退出天津後便停刊了。其角色就是一份「報刊分遣
隊，是東亞德文刊物中的一份附屬周刊」。[204]

203　這裏所指是到一九〇七年十月為止，《上海日僑》是當時唯一一份在華日本刊物。
204　Die chinesische Presse. Der Ostasiatische Lloyd. 11. Oktober 1907, S.654-656.

　　一九一二年，在《捷報》（China Gazette）創刊十八週年之際，《德文新報》針對這份刊物所持有的立場問題做了這樣的闡述：「《捷報》最初是一份獨立的英國人所辦的晚報，在（十九世紀）九〇年代末，該報支持英日同盟的態度鮮明，不久之後，其立場便公開傾向於日本，支持推進日本利益。而日俄戰爭爆發後，又突然轉向俄方陣營。該刊物後來一直站在俄方立場，原有的影響力盡失。該報在約一年前才意識到這一問題，很快便收起了支持俄方的立場。」[205]

　　彼時在中國報界頗有影響力的外報，除了英美法幾個國家所辦報刊之外，還有俄國。「北京出版的新的中文報刊《崑崙報》（Kung-lung-pao）自（1910年）七月二十日創刊，日發行量兩百份，影響力至俄羅斯。該報由哈爾濱俄文報刊 *Charbinski Wjestnick* 的中方代理人擔任編輯。」[206]

　　《德文新報》對中國報刊的關注並不僅限於某些報業發達的地區，而是涉獵全國報刊。當然，從其相關報導來看，該報投入的每一次關注也都並不是盲目的。

　　前文已經提到，俄文報刊在滿洲地區一直有相當的規模和數量。另外，在外人聚集的漢口，俄文報刊也沒有缺席。《德文新報》對此專門騰出版面空間予以報導，這是發生在一九〇九年三月間的事：「一份特別刊物即將在漢口出版。漢口當地俄中學校的校長是出於這樣的想法：希望將該校中國學生納入到出版一份俄文報刊的工作中來，這樣便有了將中文報刊文章翻譯成俄文的基礎，當然該報也包括一些獨立的原創文章。目前，已有來自私人方面的俄國印刷廠表示可承擔印刷工作。」[207]

---

205 „China Gazette". Shanghaier Nachrichten. Der Ostasiatische Lloyd. 5. April 1912, S.116.
206 Einechinesisch-russische Zeitung in Peking. Der Ostasiatische Lloyd. 29. Juli 1909, S.115.
207 Einerussische Zeitung in Hankou. Der Ostasiatische Lloyd. 12. März 1909, S.527.

　　近代史上，蒙古地區始終是外人進入中國之後頗為矚目的對象。
「一九〇七年一月，北京理藩部[208]（殖民局）建議，應以蒙古文出版
一份報刊，以便在蒙古人中傳播中國之觀點。自此建議提出後至今，
便再無下文。然而，此事中之玄機（益處）被俄人注意到，便在哈爾
濱以蒙古文出版報刊一份，每兩星期發行一期，是為第一份蒙古文報
刊。因只有極少數蒙古人可以閱讀中文報刊，因此，俄人此次所辦蒙
古報刊勢必使俄國在蒙古的影響力加強。」[209]

　　德國人在近代中國報界的影響力雖不及英美，但卻著實能與法俄
等國相抗衡。在《德文新報》領銜之下，數十年中，《協和報》、《直
報》等多份綜合性刊物在中國各地陸續出現。[210]但是，德國人將專業
性報刊辦到中國的土地上，這卻是其它各國所難以企及的。據一九一
四年一月九日《德文新報》報導，「中德工程師聯合會出版的《技術
經濟報》月刊的創刊標誌著德國在遠東地區利益又上了新臺階。該刊
編輯 M. Th. Strewe 先生以生動活潑的《我們何所求》為題，為該刊
作創刊詞，在本期《德文新報》的商業消息部分，我們轉發了該文
章。……我們希望這份經熟練編輯並快速出版的刊物，能夠獲得廣泛
的認同，並希望我們這一創新的工作能得到各界的支持。」[211]

---

208 此處應是指理藩院。理藩院是清朝掌管蒙古、新疆及西藏等少數民族事務的最高
　　權力機構。《德文新報》此處原文為「Li-fan-pu（Kolonialamt）」。

209 Die erste mongolische Zeitung. Der Ostasiatische Lloyd. 12. November 1909, S.980.

210 《德文新報》對其它德國在華報刊都進行過詳細的介紹，本文研究對象為《德文
　　新報》，因而不涉及與其它德文在華報刊相關的內容，以免喧賓奪主。

211 „Technisch-Wirtschaftliche Blätter". Shanghaier Nachrichten. Der Ostasiatische Lloyd. 9.
　　Januar 1913, S.13.

六 其它刊物

　　傳教活動是《德文新報》自創刊以來一直關注的內容。近代中國早期的基督教刊物多是外來傳教士創辦，隨著傳教活動日益深入中國，越來越多的中國人也加入到其中。但是，由於人力、物力、財力等多方面的限制，這類刊物多以月刊、周刊的形式出現。因此，基督教日刊就顯得頗為重要。

　　一九一三年九月八日，廣州市出版了第一份基督教日報。該報的工作人員有超過三十名中國的基督徒，他們都是活躍在文學領域的分子，另外還有三名外籍人士共事。在這其中包括被中國人所熟知的前司法部長王寵惠、前教育部專員及商務印書館負責人。在中國，基督教刊物有一定數量的周刊與月刊，但卻缺少日報。一九一一年辛亥革命之後，廣東的基督教團體便建立起來，這就有了文化的和經濟的保障；該團體籌措資金達五萬元。大額的資金支持都是來自海外華人，包括日本、三藩市、荷屬印度、檀香山及紐約。該新報刊有國內和國外（日本、美國及英屬海峽殖民地）兩個分支。由於該報的讀者中也有很多非基督徒，因而不應低估其在華人知識分子中的傳播價值。」[212]

　　除上述之外，《德文新報》對海外中國人自辦報刊的注意力主要集中在菲律賓。「自（1912年）八月起，馬尼拉的中國人開始定期出版自己的日報，該報刊定期從北京、上海、香港、廣東、廈門及其它中國重要地區的電訊機構接收消息。」[213]消息雖然只有簡短的一句話，但由此可見，《德文新報》對中國報業發展的關心並不止於中國國內。當然，這與《德文新報》本身所佔有　的新聞資源也是密不可

212　Die erste christlich Tageszeitung. Der Ostasiatische Lloyd. 26. September 1913, S.276.

213　Chinesische Zeitung. Der Ostasiatische Lloyd. 4. Oktober 1912, S.311.

分的。並且，這一句簡短的消息在一年半之後還出現了後續報導：
「一年半前，馬尼拉出版了中文報刊《公理報》（Kong-li-pao），該報
得到當地激進派的支持，並多次引起當地保守派及富有華人的不滿。
矛盾一起，馬尼拉華人商會主席 Si-Kong-ping 便抱怨該報，但卻遭到
該報的反駁。既然無法捍衛自己的權利，他們現在有了對付《公理
報》（Kong-li-pao）的武器，即一份代表保守派的新報刊《中華立報》
（Tiong-hua-li-pao），用以對付《公理報》的攻擊。」[214]

綜觀《德文新報》對於新生中國報刊的記錄時間，不難發現，這
類報導較為集中地出現是始於一九一一年下半年，直到一九一四年大
戰爆發前。大戰的爆發改變了《德文新報》的常規形式，中國近代報
刊的歷史失去了一個記錄者，頗為遺憾。但至少，這類報導頻現的起
始時間——一九一一年下半年——明確地證明，辛亥革命前後，正是
中國近代報業發展的標誌性時期，在這個古老國家山雨欲來風滿樓的
時候，其報業也成為其中的一個角色。

第五節　近代中國新聞立法與新聞控制

「中國近代新聞法治思想，首先由中國的先進知識分子，特別是
一些長期從事報刊工作的報人，率先發出制定新聞法律法規的呼聲，
當時稱之為『報律』。……中國報律制定後，外國人在華出版的報
刊，同樣遵守，受此報律的約束。」[215]

在近代中國受西學影響的知識分子開始討論為本國制訂報律的時
候，英美及歐洲大陸主要國家大都早已頒佈了新聞法規，因此，這些

---

214 Eine neue chinesische Zeitung. Der Ostasiatische Lloyd. 15. Mai 1914, S.441.

215 馬光仁：《中國近代新聞法制史》（上海市：上海社會科學院出版社，2007年），頁
45-46。

國家對於以新聞法來約束和規範新聞業活動這一點，必然是早已接受，並認為理應如此。《德文新報》在討論中國新聞業的相關文章中不止一次地呼籲中國當政者應盡快出臺新聞法規，這就是最好的證明。

然而，無論是晚清政府還是中華民國臨時政府，新聞法出臺所帶來的直接問題便是報界要求新聞自由。「言論出版自由是西方近代文明的重要標誌之一，……這一觀念隨著西學東漸，被中國知識分子和開明紳士日益接受。……在清代，由於外國人在中國創辦近代報刊日益增多，並由沿海地區向內地發展，其影響越來越大，所以中國民眾對言論出版自由的爭取集中體現在新聞自由上，要求清政府開放報禁，允許民間自由創辦報刊的呼聲越來越高。」[216]《德文新報》同樣見證了中國報人與立法者的抗爭。

一 近代中國新聞初次立法

前文曾經提到過，一九〇七年時，《中外日報》批評某德國報刊對中國饑荒之事報導有誤，《德文新報》在反駁該報導的文章末尾提出：「中國是時候設立新聞法了，從而使這樣不合理的行為不再發生。」[217]在此事提出兩星期之後，《德文新報》專門論述中國報刊的長篇文章[218]中，不但以大篇幅文字分析了中國政治、經濟、文化教育等各方面改革迫在眉睫，而且肯定了中國報界在各方面制度並不完善的前提下所表現出來的精神面貌：「與之前相比，必須承認，中國報刊無論在精神面貌上還是在舉止姿態上都有了切實的進步。中國報界

---

216 馬光仁：《中國近代新聞法制史》（上海市：上海社會科學院出版社，2007年），頁36-37。

217 Auswüchse der chinesischen Presse. Der Ostasiatische Lloyd. 7. Juni 1907, S.1012.

218 Die chinesische Presse. Der Ostasiatische Lloyd. 21. Juni 1907, S.1108-1111.

現在更傾向於一種積極的工作態度，而不是將自己囿於對中國現狀中存在的各種缺陷和令人絕望的處境作徒勞的抱怨之中；大家正在尋求一條可行的道路，旨在幫助中國走出現在的困境。」[219]由此可見，《德文新報》對於中國報業的關注不僅僅局限於新聞活動相關的內容，而且已經觸及更深的層次中，由此，中國必須立新聞法一事也就成了該篇文章討論的最後落腳點：「尚處於青年時期的中國報業並不成熟，並不發達，這一點毫不奇怪；其新聞人的業務水準還遠遠落於歐洲及美國同行之後，尤其是新聞人作為一個獨立的階級，還處在起步階段。而新聞要做到專業，對現在的中國而言，也只能在不受政府管轄的外國租界才能得以自由發揮。若能有新聞法出臺，即使並不怎麼完善，這種現狀也會在一定程度上得以改變。就現狀而言，中國報刊對其廣大的公眾還是產生了不可低估的影響，而此時，正如剛剛過去的幾個星期所顯示出來的那樣，中國報刊的影響也成為中國政治、商業生活中一個不可忽視的因素。」[220]正如前文所言，新聞法在西方各主要國家已經成為新聞業中必不可缺的一部分，沒有新聞法，新聞業便難以走向專業。這正是《德文新報》呼籲中國新聞法盡快出臺的原因所在。

　　中國的近鄰日本是《德文新報》經常提起的國家之一，在新聞業發展這一問題上，日本也就常常會成為與中國相比較的參照：「在過去的二三十年間，日本的新聞業已獲得了蓬勃的發展，並在政治生活中發揮了一定的威力，只是報刊在中國還發展得十分緩慢。日本在一八八七年便出臺了新聞法規，然而，中國只是在最近（一九〇七年十月）才出臺臨時新聞法規，其章程是將德國與日本的新聞法規集結而

219　Die chinesische Presse. Der Ostasiatische Lloyd. 21. Juni 1907, S.1108-1111.
220　Die chinesische Presse. Der Ostasiatische Lloyd. 21. Juni 1907, S.1108-1111.

成的。」[221]雖然，也有中國的大報[222]表示「中國新近出臺的新聞法規並無太大意義」[223]，但《德文新報》對此卻表現出了積極的態度，因為「內政部正在討論的關於新聞法最終出臺的問題，也將中國記者的願望及請求納入考慮範圍之內，例如不再壓制報刊言論（使報刊能夠公開發表言論），還允許記者進入法院旁聽審理，免費乘坐火車，等等。此外，最近清廷以半官方的立場提出建議，為籌措大量資金，欲將上海、南京及武漢等國家重要地方創辦的有影響力的中、英文報刊轉為政府半官方性質的機關報刊。顯而易見，所有這一切都說明，中國的新聞業在最近時期獲得了更進一步的發展。」[224]

一九〇七年的討論在接下來的一九〇八年得到了實現。一月時，「總理內閣收到皇帝詔書：『新聞立法乃當務之急。內務部僅僅只是呈遞了暫行報刊條例。現命內務部聯合刑部立即制定詳細新聞法規呈遞上來。此事務必不得拖延。』」[225]是年三月，「新的新聞法經修改已公佈，各省一經公示，兩月內生效。」[226]這就是一九〇八年三月十四日（清光緒三十四年二月十二日）頒行的《大清報律》[227]，正文和附則共計四十五條，「涉及報刊創辦手續、編輯、稿件審查、出版、發行、禁載、違禁處罰、職業道德等方面」。[228]

---

221 Die chinesische Presse. Der Ostasiatische Lloyd. 11. Oktober 1907, S.654-656.

222 此處，《德文新報》並未指出具體是哪一份刊物，只是用「在租界出版的規模最大且最重要的商貿性報刊」來指代。Die chinesische Presse. Der Ostasiatische Lloyd. 11. Oktober 1907, S.654-656.

223 Die chinesische Presse. Der Ostasiatische Lloyd. 11. Oktober 1907, S.654-656.

224 Die chinesische Presse. Der Ostasiatische Lloyd. 11. Oktober 1907, S.654-656.

225 Ein Pressgesetz zu erwarten. Der Ostasiatische Lloyd. 10. Januar 1908, S.83.

226 Pressgesetz. Der Ostasiatische Lloyd. 27. März 1908, S.590.

227 具體內容參見：劉哲民編：《近現代出版新聞法規彙編》（上海市：學林出版社，1992年），頁31-34。

228 馬光仁：《中國近代新聞法制史》（上海市：上海社會科學院出版社，2007年），頁59。

　　然而，新報律的頒佈卻不可避免地引來了中國報界的批評。不過，由於《大清報律》對於在華外國人出版報刊的管理並未提及，因此，《德文新報》就成了完全的旁觀者。「《新聞報》反對新聞法保有其目前的有效形式。理由是該法令妨礙了中國報刊履行其職責。……攝政王[229]已經意識到這一法令過於嚴苛，因而命令相關官員將法令適度放寬。但報界對此並不滿足，堅持認為如若新聞法不做完全的修改，那些與報界為敵的官員還會利用其來對付報刊。」[230]對此，《德文新報》給出了這樣的評論：「中國就是有這樣一種習慣，先制定嚴苛的法令，繼而再將其放寬。另一方面，官員們也沒有受到足夠嚴格的監督。比如，雖然刑訊是被禁止的，但如若有官員這麼做了，那就沒人過問此事了。」[231]

　　無論是最初的《大清印刷對象專律》[232]，還是後來的《大清報律》，清廷頒佈報律的初衷在於限制言論，而《德文新報》呼籲出臺新聞法是希望政府能夠藉此規範報業活動，使其有規可循。例如，該報認為中國「應有相關法律規定中文報刊編輯需有資格證書，同時，相關出版商應獲得出版授權，這在其它國家已經實現，而中國在這方面還處在學童階段。約十年來，各界人士都已證明中國新聞界還完全不能自律。鑒於此，就需要對其行使他律。」[233]在中國報刊呼喊反對報律的同時，《德文新報》卻在提醒，中國報人或許也應當反思一下自身存在的問題。在德國報人眼中，中國的編輯都那麼懦弱，不敢承

229 即載灃。

230 Das Pressgesetz. Der Ostasiatische Lloyd. 7. Mai 1909, S.926.

231 Das Pressgesetz. Der Ostasiatische Lloyd. 7. Mai 1909, S.926.

232 《大清印刷對象專律》，一九〇六年七月（光緒三十二年六月）出臺，具體內容參見：劉哲民編：《近現代出版新聞法規彙編》（上海市：學林出版社，1992年），頁2-8。

233 Die chinesische Presse. Der Ostasiatische Lloyd. 5. August 1910, S.125-127.

擔報刊的問責，並且中國絕大多數報刊都無法做到誠實地報導事實真相。[234]當然，這種觀點也是出於對己身的顧慮，德國人認為，「外國在華機構應當認真考慮一下自己的在華利益，中國記者們日日對外國人施行的不公正待遇，這不利於他們與中國人保持良好的關係，對此，法庭雖然能夠提供庇護，卻只能起到間接作用而已。」[235]

　　「中國的報刊在整個國家中日漸退化成一顆毒瘤，這不應受到保護並任其發展，而是必須當機立斷地切除之。這絕不僅僅是為了維護外國人的在華利益。終止中國報刊的現狀，在更大程度上是為了中國自身。」《德文新報》何以用「毒瘤」這樣嚴重的比喻來指代中國報刊呢？在該報看來，一九一〇年時的中國報刊，「對於改革運動並不提倡，相反卻會去危及改革。溫和派的報刊依然還在，但卻對所發生的大事視而不見，只是拿些瑣碎小事來大篇幅報導。而大多數的中國報刊現在的主要任務便是聽從國家的指示去沖散社會團體、破壞改革運動，這必然會導致災難。關於後者，各報刊只需隨著國家議會行事即可。我們的觀察已經證明，在過去幾年，中國報刊的任務就是幫助政府引導中國革命不再繼續發展，……其結果便是，中國的報界必將成為中國公共生活中的一顆毒瘤，如果不採取措施，其必將消亡。」[236]

　　面對這種狀況，《德文新報》認為，「政府必須採取措施對中國報刊的出版實行設限，以確保其以嚴肅、誠實之態度參與公共生活。這並不意味著報刊只能忍受與當局保持意見一致。相反，允許自由發表意見及公開發表反對意見可以促進報業健康發展。在我們看來，偶而的唇槍舌劍不會造成什麼嚴重的損害；我們並不想就此（政府管制）束縛住報界的手腳。而作為新聞人，應具有這樣的品質：具有責任

---

234 Die chinesische Presse. Der Ostasiatische Lloyd. 5. August 1910, S.125-127.

235 Die chinesische Presse. Der Ostasiatische Lloyd. 5. August 1910, S.125-127.

236 Die chinesische Presse. Der Ostasiatische Lloyd. 5. August 1910, S.125-127.

感，能對其所作之事負全責。但在今天的中國新聞界，只有少數能做到如此。站在報業前端的要麼是不負責任之人，要麼只是利用報刊為己謀取私利，換句話說，中國新聞界大部分人都應受到譴責。中國的報刊徹徹底底的謊話連篇，損害的不僅僅是中國的名譽，也將為未來種下嚴重的惡果。」[237]無論這番闡述是否客觀、公正，至少，它可以揭示，在華外國報人所提倡的新聞法與彼時中國政府頒佈報律之初衷是截然不同的。雖然，晚清頒佈報律的最初提倡者，大都是受西學影響的知識分子[238]，所提到的相關內容多是借鑒西方國家律法，但是，很顯然，在《大清報律》成為事實之後，卻成了另外一種狀況。

二　《大清報律》約束下的新聞自由

自《大清報律》頒佈，中國的新聞人便同時開始了與報律的抗爭。有學者專門對近代中國新聞法製作了研究，認為在清政府的新聞法律法規出臺後，中國新聞界並沒有去分析其是否有進步意義，「而是一味地反對，同時也沒有運用法律武器來保護自身合法權益的意識和習慣，加之清政府所制定的法律法規中，沒有任何保護新聞界合法權益的內容，新聞界持反對態度是不難理解的。」[239]

對於中國新聞人與政府新聞法的鬥爭，《德文新報》作為旁觀者看到的是「中文報刊在近幾年嚴厲地揭露了官員及政府的所作所為。

---

237 Die chinesische Presse. Der Ostasiatische Lloyd. 5. August 1910, S.125-127.

238 一八九八年八月九日，康有為上書光緒帝《請定中國報律摺》，不僅提出為中國報刊制定律例，並且認為，中國報律出臺後，外國人在華辦報，同樣應受此報律約束。參見：康有為：《康有為政論集》（北京市：中華書局，1998年）。

239 馬光仁：《中國近代新聞法制史》（上海市：上海社會科學院出版社，2007年），頁77。

這使我們歐洲人可以藉此在瞭解中國統治情況方面保持最好的視角」。[240]然而，德國報人認為中國報刊的報導「對於中國整個國家而言，更重要的意義在於（對所報導之事）不偏不倚地判斷」，遺憾的是，「中國新聞界總是自負且目空一切；有時候，甚至可以說，中國報刊最不缺乏的表達方式簡直可以稱得上是革命式的。並且，有些報刊對猛烈指責國家最高級別的官員並不感到懼怕。」[241]德國人將此理解為政府要考慮制定新聞法的原因，對於在《大清報律》出臺之前的《報章應守規則》[242]的有效性是這樣評價的：「第一個新聞法令從未獲得過法律效力。新聞法令被限制著，根本無法實施執行。」[243]而千呼萬喚始出來的《大清報律》，在德國人看來，「這項實際意義上的新聞法令在有些方面看起來是仿傚德國新聞法的，但還另外附有條文，專門限制新聞自由，因此，新聞界就此指責政府背約。關於國家憲法的第一個詔書中實際上已經承諾公眾有表達自由，而這一新的新聞法看起來又使這一表達自由失效了。負責起草新聞法令的官員對報界是持有敵視態度的，可以輕而易舉地找機會暫時或永久地將報刊禁掉。」[244]在《大清報律》頒行半年之後，《德文新報》發出了「新聞法的存在形同虛設，就像其它許多法令一樣，在被漸漸遺忘」[245]這樣的感慨。

「而突然之間，內政部卻告誡應認真執行該新聞法。總督及省級官員都得到指示，應對服從新聞法的事宜進行監督，並定期進行彙

---

240 Die Pressfreiheit in China. Der Ostasiatische Lloyd. 2. Oktober 1908, S.639-640.

241 Die Pressfreiheit in China. Der Ostasiatische Lloyd. 2. Oktober 1908, S.639-640.

242 〈報章應守規則〉，一九〇六年頒行，具體內容參見：劉哲民編：《近現代出版新聞法規彙編》（上海市：學林出版社，1992年），頁30。

243 Die Pressfreiheit in China. Der Ostasiatische Lloyd. 2. Oktober 1908, S.639-640.

244 Die Pressfreiheit in China. Der Ostasiatische Lloyd. 2. Oktober 1908, S.639-640.

245 Die Pressfreiheit in China. Der Ostasiatische Lloyd. 2. Oktober 1908, S.639-640.

報。總督陳夔龍[246]在武昌針對漢口報刊所採取的行動甚是嚴厲。他暫禁了一份報刊，並永久禁止了另一份報刊[247]，因為以上報刊登載了康有為對聖上的請願書，請願書要求慈禧太后還皇位於皇帝，並請遷都南京。」[248]從相關研究來看，事實上，自《大清報律》頒行之日起，中國報人便開始了為新聞自由的抗爭學者[249]，一輪又一輪的反抗之聲，終於激起了清廷的憤怒，《江漢日報》便是殺雞儆猴的犧牲品。

　　前文已經提到過，《大清報律》第二條對於辦報者資格明確規定應是年滿而立以上的本國人[250]，而對於在華外國人在中國境內辦報事宜則絲毫未有提及。然而，鑒於確有眾多外國人在華創辦、經營報刊這一事實，因此，一般認為，外國辦報人及其相關新聞活動並不在《大清報律》約束的範圍之內。這就導致了在諸如上海等設立了外國租界或租借地的中國城市，有大量中國報刊假借外人的名義創辦報刊，從而避開報律。面對諸多掛洋旗的中國報刊愈發頻繁地發表與政府唱反調的文章，清政府必然無法視而不見。對此，《德文新報》是

---

246 陳夔龍（1857～1948），又名夔鱗，字筱石，貴州省貴陽人，清末封疆大員，其文才洋溢，書法、詩文自成一家。著有《夢蕉亭雜記》、《庸庵尚書奏議》、《花近樓詩存》等。參見：中華書局編：〈德宗景皇帝實錄〉，〈宮中檔奏摺—光緒朝〉，〈宣統政紀〉，《清實錄》（北京市：中華書局，1986年，影印版）。

247 此處應是指《江漢日報》。據記載，《江漢日報》是當時武漢最活躍的報刊，一九〇八年四月十九日刊發插畫「第十九層割舌地獄之慘狀」，嘲諷《大清報律》將輿論打入最底層地獄。自五月二十三日起之後的一個月又連續譯載《革命黨史》，介紹孫文及其革命團體。八月十三日，清廷軍機處電湖廣總督陳夔龍，以《江漢日報》刊載〈中華帝國憲政會聯合海外二百埠僑民公上請願書〉，「詞意狂悖，殊足擾亂大局，妨害公安」。飭令嚴行查禁和究辦。八月十四日，《江漢日報》停刊，總計發行一百四十九號，前後不足五個月。參見：羅時漢：《城市英雄：武昌首義世紀讀本》（武漢市：湖北長江出版集團，長江文藝出版社，2010年），頁103-104。

248 Die Pressfreiheit in China. Der Ostasiatische Lloyd. 2. Oktober 1908, S.639640.

249 馬光仁先生在其著述中對此有較為詳細的論述。參見：馬光仁：《中國近代新聞法制史》（上海市：上海社會科學院出版社，2007年），頁77-90。

250 劉哲民編：《近現代出版新聞法規彙編》（上海市：學林出版社，1992年），頁31。

這樣記錄的：

> 最必要同時也是最困難的問題是新聞法在上海外國租界的貫徹
> 實施，因為這些報刊大多數屬於外國人或在其名下，至少在名
> 義上是如此，那麼，公共租界工部局更多的是作為中國報刊的
> 一個庇護所了。然而，中國政府已經找到方法和手段，以迫使
> 上海的報刊也必須服從新聞法的管制。總督端方[251]最近任命上
> 海道臺著手貫徹實施新聞法。於是道臺敦促有外資參與的報刊
> 將外資款額償還，並在官方進行登記。看起來，一些報刊已經
> 開始照此行事。只要未完全償清外資，該報就不得登記註冊。
> 所有上海報刊已向道臺提交書面保證，按照政府要求，遵守新
> 聞法規定。而政府同時也對報界做了妥協，同意削減報刊的郵
> 政及電報費用。為了穩操勝券，政府表示，如果報刊不能遵照
> 新聞法行事，則不可享受郵政、輪船或鐵路的運輸業務。如有
> 不服從的報刊使用外國郵政或中國私人郵政的話，此類報刊將
> 被予以內部沒收及銷毀。上海道臺對端方報告說，新聞法第三
> 十七條及第四十條[252]的規定將被嚴格執行。

---

251 端方（1861-1911），清末大臣，金石學家。滿洲正白旗人，托忒克氏，字午橋，號
　　匋齋，諡忠敏。光緒八年舉人，入貲為員外郎，歷督湖廣、兩江、閩浙，宣統元年
　　調直隸總督，旋坐事劾罷，宣統元年起為川漢、粵漢鐵路督辦，入川鎮壓保路運
　　動，為起義新軍所殺。有《陶齋吉金錄》、《端忠敏公奏稿》等。參見：趙爾巽：
　　〈列傳二百五十六〉，《清史稿》（北京市：中華書局，1976年）。

252 《大清報律》第三十七條：凡照本律呈報之報紙，由該管衙門知照者，所有郵
　　費、電費，准其照章減收，即予郵送遞發。其未經按律呈報接有知照者，郵政局
　　概不遞送，輪船火車、亦不為運寄。第四十條：凡在外國發行報紙，犯本律應禁
　　發行各條者，禁止其在中國傳佈，並由海關查禁入境。如有私行運銷者，即入官
　　銷毀。參見：劉哲民編：《近現代出版新聞法規彙編》（上海市：學林出版社，
　　1992年），頁34。

上海的報刊別無選擇，好歹都要順從。租界的中國人不得獨立
經營報刊。除《滬報》[253]之外，上海的其它所有報刊都對上述
懲處要求保持沉默。其中一些已轉為官辦報刊，其餘則自我收
斂起來。在憲政國家業已得到保障的新聞自由，在中國暫且還
談及不到。但是對於中國而言，尤其是在目前的狂飆突進時
期，出現這樣的情況倒是不會造成什麼損害。比起將時間浪費
在無用的爭吵上面，中國現在有更重要的事情要做，這正是報
刊所精通之事。現在政府恰能以報界為媒，以傳播有益的內
容。報界由此獲得了一份非常珍貴的工作任務，當然，中國報
界並不認同這一點，卻在冒險走上一條完全錯誤的道路。這條
道路，僅僅是現在能證明有益而已。可以說，中國報界若要真
正有所作為，必須培養專業人才。然而，這最重要的一環卻至
今未能受到重視。中文報刊偶而會出現一篇上乘的深度報導文
章，那也是取自外報。

舉一例足以證明。去年（1907年）年初整個上海的中國新聞界
為將要新成立海軍部[254]而歡欣雀躍。這幾乎成了報端的頭等大

---

253 即《字林滬報》。《字林滬報》創辦於清光緒八年四月初二（1882年5月18日），日
刊。總主筆由《字林西報》總主筆巴爾福兼任，另聘戴譜生、蔡爾康為華人主筆。
該報創辦初期名為《滬報》，報名直書，逢星期日休刊。採用國產的毛邊紙單面印
刷，報紙篇幅較當時出版的《申報》略大。正文用四號字體，廣告為五號字體；兩
頁中的中縫較寬，便於折疊裝訂，同年八月更名為《字林滬報》，報名橫排。該報
版面編排清秀，十分注重國際新聞報導。創刊時適逢中法戰爭爆發，由於該報有
《字林西報》作後盾，消息來源廣泛、迅速，經翻譯處理後，稿件觀點鮮明，刊
登時間均比上海一般報館要早幾天，比素以報導迅速見長的《申報》新聞也要早一
天。該報還採取擴大版面，取消星期日休刊等改革，一度成為當時上海與《申報》
競爭最劇烈的一家商業報紙。參見：戈公振：《中國報學史》（臺北市：臺灣學生書
局，1982年）。

254 一九〇五年五大臣（鎮國公載澤、戶部侍郎戴鴻慈、湖南巡撫端方、山東布政使尚
其亨、順天府丞李盛鐸）出洋考察憲政，次年七月回國，提出了預備立憲的十個奏

事。即使外國報刊對中國報刊過度關注此事提出警告之後，中國報刊依然對海軍部成立一事大肆宣揚。目前的一個新情況是，幾乎所有的中國報刊都建議應謹慎對待該問題，毋須多言。[255]

　　《大清報律》推行進租界的行動已然收到成效，這樣一來，中國報人利用擦邊球的方式享受租界裏外國人特權保護的機會被消滅了。同時，《德文新報》所認為的「非常珍貴的工作任務」也被忽略了，事實上，中國報人還不能領會這份在華德文報刊言詞中的好意。那時候，有多少中國人懂得近代報刊為何物？認清那個時期中國報人的身份，便很容易理解這一點。各主要西方國家在華所辦外報的確是對中國人認識近代報刊起到了積極的作用，然而，不能忽視的是，外報來華，既有辦報人各自不同的初衷，又必然不可逃脫入鄉隨俗的命運，因而，在華外報必然與外報在其本國的狀況有所不同。這樣看來，《德文新報》認為中國報人恰好可以藉此機會潛心修煉新聞業務，這種想法是不可能被中國報界接受的。至於新聞自由，則更是一個奢侈的概念了。

摺。其中，「請改定官制以為立憲預備折」中提出設立軍部，以兵部練兵處改並，管理全國海陸軍事務，分設陸軍、海軍兩局。一九〇六年十一月六日，清廷釐定官制，兵部改為陸軍部，將練兵處、太僕寺併入。應行設立的海軍部及軍諮府，未設之前，暫歸陸軍部辦理。一九〇七年六月七日，陸軍部奏定官制，建立海軍處。相關資料參見：姜鳴：《龍旗飄揚的艦隊——中國近代海軍興衰史》（上海市：上海交通大學出版社，1991年），頁449-450。

255 Die Pressfreiheit in China. Der Ostasiatische Lloyd. 2. Oktober 1908, S.639-640.

三 官方資助報刊

前文已經提到過，官方（政府）資助報刊是《德文新報》在論述中文報刊時經常涉及的一類對象。這與中國人自辦報刊伊始年代的經濟狀況密切相關：近代國人自辦報刊最初階段，資金多是來自商業資助，後來，有些卸任的朝廷官員也對民間報刊在資金上投以支持，隨之，在職官員抑或明或暗地參與其中。另一方面，清政府也開始認識近代報刊，並公開支持辦報。這樣看來，從資金支持的角度上說，當時的中文報刊便基本呈現了外商資助、民間商業資助及官方資助並存的局面。由於無法實現經濟獨立，辦報資金問題也就必然成了當時中國報人的死穴。那麼，即使拋開了報律，清政府若要在中國報界製造點麻煩，依然不是什麼難事。

這還要從清政府對報刊編輯的政治參與權利追加限制開始說起。據《德文新報》一九一〇年一月二十八日發自北京的消息：「預備立憲公會[256]規定，編輯不可參選省級諮議局[257]成員。」[258] 對此，《德文

---

256 清政府於一九〇六年十二月十六日正式成立預備立憲公會，並宣佈宗旨為：「本會敬遵諭旨，使紳民明晰國政，以為立憲基礎。」參見：〈預備立憲公會報簡章〉，《預備立憲公會報》第一期。轉引自：徐祥民等：《中國憲政史》（青島市：青島海洋大學出版社，2002年），頁75。

257 著各省速設諮議局逾（軍諭）光緒三十三年九月十三日內閣奉上諭：朕欽奉慈禧端祐康頤昭豫莊誠壽恭欽獻崇熙皇太后懿旨，前經降旨於京師設立資政院以樹議院基礎，但各省亦應有採取輿論之所，俾其指陳通省利弊，籌計地方治安，並為資政院儲才之階。著各省督撫均在省會速設諮議局，慎選公正明達官紳創辦其事，即由各屬合格紳民公舉賢能作為該局議員，斷不可使品行悖謬營私武斷之人濫廁其間。凡地方應興應革事宜，議員公同集議，候本省大吏裁奪施行。遇有重大事件，由該省督撫奏明辦理。將來資政院選舉議員，可由該局公推遞陞。參見：故宮博物院明清檔案部編：《清明籌備立憲檔案史料》（北京市：中華書局，1979年），下冊，頁667。

一九〇八年，各省諮議局章程對參選人員資格做出了明確規定：包括曾處監禁者、

新報》觀點如下：

> 據我們所知，目前只有唯一一位報刊編輯在省級諮議局任職，
> 此人任職於南京，是獨立報刊《時報》發行人。[259]這是不是一
> 件壞事，到目前為止，還沒有定論。很顯然，政府不能因為擔
> 心省級諮議局可能與報刊產生共鳴，便將省級諮議局與報刊狹
> 隘地聯繫起來，而就目前的條件來說，這種共鳴是不可能產生
> 的。還記得南京諮議局從一開始就是堅決反對政府或官員資助
> 報刊的，政府的這種擔心不無道理，因為，如果將來省級諮議
> 局能夠成功達到預定目的，就要禁止公開資助親政府的報刊，
> 否則，一旦有獨立報刊出現，這後者與省級諮議局的關係就不
> 好相處了。當然，另一方面的問題在於，對報刊編輯取消參選
> 資格這一手段是否能夠有效實現政府的願望，尚不可知。[260]

預備立憲期間，政府明顯不願意報界過多地參與政治事務。然
而，政府可以管住受官方資助報刊的嘴巴，卻無法消除不受政府恩惠
的那些獨立報刊的聲音，反而招致更多的批評。如此，索性禁止官方
與報刊公開保持聯繫。不知道清政府是否清楚這樣的事實：缺少了官

吸食鴉片者、患精神疾病者等，不得有選舉權或被選舉權；另外規定：本省官吏
或幕友、常備軍人、巡警官吏、僧道及其它宗教教師、各學堂肄業生，以上人員
停止選舉權與被選舉權；並特別規定：現充小學堂教員者，停止其被選舉權，以
免有礙學務（參見：故宮博物院明清檔案部編：《清明籌備立憲檔案史料》〔北京
市：中華書局，1979年〕，下冊，頁671-673）。綜合以上各條款，並未有報刊編輯
人員不得參選的規定，這顯然是後來臨時追加的限制。

258 Presse und Volksvertretung. Der Ostasiatische Lloyd. 4. Februar 1910, S.121.

259 此位編輯應是指狄平子。一九一六年的反袁獨立運動，他作為江蘇諮議局議員也積
極參與了江蘇獨立運動。

260 Presse und Volksvertretung. Der Ostasiatische Lloyd. 4. Februar 1910, S.121.

方資金的支持，許多中國報人將無法維持其刊物的生存，這無異於間接地將報刊毀滅。另一方面，在過去若干年中，諸多清廷官員與報刊之間建立起的千絲萬縷的關係，真的可以瞬間一刀即斷嗎？

在官方資助報刊這一問題上，《德文新報》還有後續報導：

> 江蘇省諮議局幾個月前明確表示反對官方資助三份在上海出版的中文報刊，即《中外日報》、《輿論時事報》[261]（注意不要與《時報》混淆）和《申報》，以及以英文出版的《上海泰晤士報》，然而，該地方機構卻又顯示出與《新聞報》保持了密切的聯繫。南京政府議會已經確認，上述三份中文報刊最初是受前南京總督端方公開資助發行的，金額約白銀十六萬七百五十兩。有意思的是，這筆來自繳稅的款額原本已安排作他用，現在挪用至此，便引起了爭議。政府當時考慮到，官方（以稅款）資助（報刊），是給民眾製造不合理的負擔，因此就打了個幌子，官方報刊以非官方的面目出現，這種資助根本不能使民眾受益。為此，該省諮議局作出決定，首先，所有（對報刊的）資助均予以取消，收回對報刊的資助款額，已批准的款額則應立即退還。不久之後，此決議又做了修改，即公開受贈資金的報刊會獲得退回資助款百分之七的利息金。顯而易見，這個決議是不可能兌現的。沒有幾家中文報刊的資金夠用；取消了現有的資助，幾乎沒有哪家報刊能夠再得到資金支持。不過，自此以後，官員們對報刊提供支援的形式，也許會由直接

261　一九〇七年十二月九日（光緒三十三年十一月初五），《時事報》創刊。以日刊發行，由邵松權等集資創辦，汪劍秋主編。一九〇八年（光緒三十四年正月）《輿論日報》創刊，為宣傳君主立憲的刊物。一九〇九年（宣統元年）《輿論日報》與《時事報》合併為《輿論時事報》，一九一一年（宣統三年）更名為《時事新報》。

變為間接，而報刊方面就有義務保護捐資的官員不受污蔑並幫助他們對付其它報刊的攻擊。然而，關於南京諮議局的決議，還有一點餘音，那就是監察官將注意力瞄準了這一問題。其結果就是，又引出了上海道臺對於公共資金濫用的問題，兩江總督張人駿[262]被委任負責調查此事。該項工作已完成，知情的《新聞報》權威報導如下：

「那些名單在列的上海報刊無一例外地退回至商人所有。官方公職人員投入的資金已經收回，其中，有些報刊不能自己還清的，各上海道臺已經將款額付清，或將缺口補齊。報刊無法繼續獲得資金支持了。……上海道臺蔡乃煌沒有擅自行動，而是向前任總督端方作了報告，聽憑決策，因此免受處罰。」

在此期間，張人駿的建議得到清廷批准，那麼——一切如故。[263]

　　官方資助報刊，使用的是應當用作公用事業的稅款，民眾得知此事，怎能不產生異議呢？撤回官方投入在報刊上的資金，已經是迫不得已。可是，另一方面，資助報刊必是已協議之事，突然停止，又不免遭到報界指責。為此，便又有了7%的利息金作為補償。官員資助

---

262 張人駿（1847-1927），字千里，取「人中駿馬，馳騁千里」之意。直隸人（今河北豐潤人），進士出身。歷任山東布政使,漕運總督、山西巡撫、兩廣總督等職，一九〇九年改任兩江總督。武昌起義爆發後，張人駿依仗張勳的兵力，準備頑抗到底。在同盟會組織的江浙聯軍的攻擊下，張人駿沒能守住江寧，便托美籍傳教士、鼓樓醫院院長馬林出面，與聯軍接洽，準備投降，然後趁機躲進停泊下關的日本兵艦，逃往上海，以遺老自命。一九二七年去世，享年八十一歲。其叔為張佩綸，他的侄女就是張愛玲。由於他在擔任兩廣總督時曾乘坐兵艦巡視南海諸島，因而在今天南海諸島的中國控制區域內，有一塊島礁被命名為「人駿灘」。

263 Die Subvention chinesischer Zeitungen. Der Ostasiatische Lloyd. 11. März 1910, S.260-261.

報刊由公開轉為暗地，那些拿人錢財的報刊也必然要做到替人說話，只不過，經過這樣一次清洗，與官方資金有聯繫的報刊必然會少了一些。這應該算不上是對報刊的控制行為，雖然無法為其定性，但著實在中國報界製造了頗大的動靜。

　　此事並未結束。曾經受官方資助的那些經營得還算體面的報刊將何去何從？特別被指稱與政府依然保持密切聯繫的《新聞報》又是怎樣一種狀況？兩周後，《德文新報》中又見相關報導：

　　　　公共租界工部局年報中有這樣一句話：「現在的中國報刊無一例外是由官員控制或受其主導的。」《新聞報》理事會主席克拉克（D. L. Clark）[264]先生對此種論調堅決提出反對，並要求工部局公報（"Municipal Gazette"）對此予以修正。工部局總辦萊韋森[265]先生對此這樣答覆：眾所週知，南京和武昌的總督顧問福開森（J. C. Ferguson）博士約翰·福開森（John Calvin Ferguson, 1866-1945），教育家，文物專家，慈善家，社會活動家。中華民國初期總統府政治顧問。一九〇八年到北京任郵傳部顧問。不僅是該報的主要股東[266]，而且還明確對《新聞報》所刊發的文章負責。克拉克先生再次公開致信工部局公報，重申福開森博士是在自己患病離開上海期間擔任《新聞報》理事會主席一職的，在這期間，福開森博士就一定應當對報刊的某些文章負責，一般來說，在工部局年報的意見中，這

264　一譯開樂凱。

265　萊韋森（W. E. Leveson），一九〇六年三月二十八日至一九一九年二月二十日任上海公共租界工部局總辦。參見：史梅定：《上海租界志》（上海市：上海社會科學院出版社，2001年）。

266　一八九九年（光緒二十五年），《新聞報》股權為福開森（John. C. Ferguson）購得。

種情況則應當區別對待為宜。

同時，雖然克拉克先生已經做了聲明，但本報還是願意給出自己的觀點，我們認為《新聞報》不屬於中國半官方報刊，既不因為直接受中國政府資助或直接受控於中國官員，也不因為外籍中國官員福開森博士作為報刊股東參與其中，更不因為大眾的參與而代表中國大眾的利益或與西方觀點對立起來，這些原因都不能作為將《新聞報》列為中國半官方刊物的理由。

對此，我們認為，工部局年報的這種意見並不適用於所有的中國報刊。南京諮議局在幾周前強調指出，《中外日報》、《輿論時事報》、《申報》及英文《上海泰晤士報》曾經並將繼續由福開森博士公開提供資金支持，由此，福開森博士再次成為報刊的主要擁有者及實際發行人。假設如果還有另外的上海報刊為中國官員所有或者在其控制之下，一定會在官方調查的時候暴露出來。但情況並非如此。官方資助刊物《上海泰晤士報》在其社論中說道：「另外三份報刊《新聞報》、《時報》及《神州日報》是處於同一管理之下的，完全不受官方影響。」

關於《新聞報》的情況，我們前面已經談過了。

據我們所知，《神州日報》自從約一年多以前就為安徽要人所有，其中一些人可能還身處官職。該刊物是代表安徽鐵路公司及該省其它公司企業利益的。據瞭解，該報曾連年嚴重虧損，自從與安徽要人關係密切之後，便得以安定發展。相比之下，《神州日報》在其早期階段是喜歡以非常大膽的語調與政府對抗的，而今，該報對政府的批評則是走向了中庸之道。

至於《時報》，自去年時候，該報的態度便十分清楚明白，尤其是其它報刊在對於該報資金方面的評論中也指出，該報與官方因素毫不相干，本報也認為《時報》是上海中文大報中唯一

的獨立報刊。該報是目前上海發行量最大的中文報刊，也是商
界人士的首選刊物，不過，現有的對該報獨立程度的估計大概
只有其真實情況的一半高而已。另外，《時報》還在學生群體
中被廣泛傳閱，對官員來說，該報也是被重點注意的對象。[267]

目前已有的關於晚清新聞法制方面的相關研究多是側重於記述報
律的頒佈、對辦報活動的限制及報人的反抗，這些壓制與反壓制的是
是非非，熟悉近代中國報刊史的人對其中的許多事件必定耳熟能詳。
縱觀那些已被熟知的歷史，可以這樣說，在近代中國，報律產生之
前，報業活動相對自由；報律產生之後，報界便踏上了與報律鬥爭的
漫漫長路，同時，頒佈報律的政府也在通過不斷的修訂報律來佔據鬥
爭中的主導位置。

不過，本文上述段落選取了《德文新報》的數篇相關報導，一來
是借助外國旁觀者的視角來瞭解當時的狀況，二來希望跳出壓制與反
壓制這個圈子來認識晚清政府與中國報界之間的關係。顯而易見，政
府若要在一定程度上限制或控制報刊，報律絕不是唯一行之有效的方
法。事實確是如此。

四　民國之初的新聞自由

「人民有言論著作刊行及集會結社之自由」[268]，《中華民國臨時
約法》第二章第六條（四）中所作的明確規定，使得國人的辦報活動

---

267 Die chinesische Presse Shanghais. Shanghaier Nachrichten. Der Ostasiatische Lloyd. 25.
　　März 1910, S.90-91.

268 李劍農：《中國近百年政治史（1840-1926）》（上海市：復旦大學出版社，2002年），
　　頁315。

得到了法律的保障。自由的言論環境帶來了報刊的蓬勃發展，但凡事必如硬幣，皆有正反兩面，《德文新報》對另一面則頗為注意：

> 迄今為止，中國報刊編輯們看起來都持有這樣一種觀點，在共和制的國家裏擁有最高的新聞自由，因此，那裏的政治家或政客們可以被大眾指責和質疑，而大眾不會受到司法處罰。在上海的一個中國編輯，不久前由於煽動政治謀殺而被捕，而現在北京又有一人覆轍重蹈，相關報導如下：
> 六月五日，北京
> 與廣東同盟會關係密切的刊物《中央新聞》[269]責任編輯因皇貝勒載濤之緣故被捕，原因是載濤被指為密謀反對共和政體的頭目。[270]我們的駐京記者還報導：
> 六月五日，北京
> 今天，警方包圍了《國風報》[271]所在的編輯部大樓，該報負責

---

269 《中央新聞》是由國民黨早期成員張樹榮主辦的刊物，隸屬於同盟會，以發表激進的民主革命言論而聞名。一九一二年六月二日，民國臨時政府派軍警逮捕了該社社員。被認為是民國建立後政府與報界的第一次大規模衝突。相關研究參見：楊曉娟、申和平、康紅：〈民初《中央新聞》案述評〉，《河北大學學報（社會科學版）》，2011年第4期，頁118-121。《德文新報》此處這條短消息報導的正是此案。

270 一九一二年一月十二日，為對抗辛亥革命，清皇室貴族分子良弼、毓朗、溥偉、載濤、載澤、鐵良等秘密召開會議，一月十九日以「君主立憲維持會」名義發佈宣言，強烈要求隆裕太后堅持君主政權，反對共和。他們密謀打倒內閣總理大臣袁世凱，以毓朗、載澤出面組閣，鐵良出任清軍總司令，然後與南方革命軍決一死戰。袁世凱通過汪精衛授意京津同盟會分會暗殺宗社黨首腦。一月二十六日，同盟會殺手彭家珍炸死良弼。在京滿族權貴惶恐不安。二月十二日，清宣統帝宣佈遜位。宗社黨遂告解散。參見：馬洪武：《中國革命史辭典》（北京市：檔案出版社，1988年）。

271 此處《國風報》與梁啟超曾主持的《國風報》並非同一份刊物。梁啟超所辦《國風報》的前身是《政論》。《政論》月刊，一九〇七年十月創刊於上海，設有演講、

人黃興經常公開發表激烈反對滿清的文章。但警方已放棄對黃
興的逮捕；這顯然只是放空槍式的警告。

在接下來的數日裏，內政部民政事務負責人[272]趙秉鈞[273]對這兩
起事件提出問詢。

六月六日，北京

《中央新聞》編輯昨日由於對載濤的攻擊而被捕，被關押一夜
後得以釋放。

因為缺乏證據，我們無法對北京官方在此事件中採取的行動之
合理性作出判斷。基本上，我們可以這樣認為，當局可能已經
找到抑制在京報刊的辦法，並且同時不至於使中國其它地方的

論著、批評等欄目，蔣智由主編，共出七期，是梁啟超將保皇會改組為國民憲政
會、政聞社後的機關報。一九〇八年八月清廷以「糾結黨羽、化名研究時務、陰謀
煽亂、擾害治安」為名，查禁了政聞社，《政論》停刊。為宣傳和推動立憲運動，
梁啟超又於一九一〇年二月二十日在上海創辦《國風報》，為旬刊，發行人是何國
楨，設有諭旨、論說、時評、調查、記事、法令、文牘、談叢、文苑、答問、附
錄等十四門類，每期約八萬字，最高發行量達三千份，是當年立憲派最主要的輿
論陣地。但是，該份《國風報》在一九一一年七月辛亥革命前便停刊了。參見：
何炳然：〈清末《政論》《國風報》的立憲宣傳——兼談梁啟超這個時期的思想變
化〉，《新聞與傳播研究》，1992年第3期。

272 此處職務為直譯而來，即指內務總長一職。

273 趙秉鈞（1859-1914），字智庵。河南汝州（今臨汝縣）人。早年投左宗棠所部楚
軍。後任典史、知縣、直隸保甲局總辦、知州等職，擅長緝捕。一九〇二年（光緒
二十八年）受袁世凱委派任保定巡警局總辦，為清末創辦巡警之先聲。一九〇五年
任巡警部右侍郎。一九〇九年被攝政王載灃撤職，閒居天津。一九一一年被袁世凱
重新啟用，在袁世凱內閣中任民政部大臣。一九一二年任唐紹儀內閣內務總長，反
對授職同盟會會員，主張要害部門起用北洋舊人，隨後代理內閣總理，旋實職，兼
任內務總長。一九一三年初國會選舉中國民黨獲勝，在袁世凱指示下，由其機要秘
書洪述祖買通上海歹徒應桂馨、武士英等，於三月二十日暗殺國民黨代理理事長宋
教仁於上海車站。袁世凱為掩人耳目，將趙秉鈞調為直隸都督，次年二月，被袁派
人毒死於天津督署以滅口。參見：何本方：《中華民國知識詞典》（北京市：中國國
際廣播出版社，1992年），頁223。

報刊受到其影響。由於大多數中國報刊的主要任務是進行政治
對抗，報刊以不誠實的行為質疑對手，並施加以個人的惡意言
論，因此，不僅會給政府工作造成困難，而且，很明顯，這還
會敗壞讀者的道德意識。只有極少數的新生代中國編輯已經意
識到，報刊應盡到更高的道德職責。[274]

　　《中央新聞》報案是反思中國報刊言論自由過度的一個很好的由
頭。最近已有專門的論文對此案進行研究，文章中也有專門段落對當
時報刊言論自由過度膨脹的現象進行了反思。[275]值得注意的是，《德
文新報》卻早在幾乎是事情發生的同時便認識到了這一問題。又為這
一下判斷添加了砝碼，即我們應當重視該報對中國報刊問題所作的
論述。
　　當然，《中央新聞》不是個案。《中華民國臨時約法》為中國報人
們解開了《大清報律》的束縛，這些獲得自由的筆者們又是何以回
報呢？

　　　《神州日報》近幾日都以《應該殺了梁如浩》[276]的標題刊載了

---

274 Massnahmen gegen Presshetzen. Der Ostasiatische Lloyd. 7. Juni 1912, S.488-489.

275 最近已有專門研究，對此報案引發的當時報刊言論自由過度膨脹的狀況進行了反
　　思。相關研究：楊曉娟、申和平、康紅：〈民初《中央新聞》案述評〉，《河北大學
　　學報（社會科學版）》，2011年第4期，頁118-121。

276 梁如浩（1861-1941），原名滔昭，號孟亭、夢亭，字如浩。清同治十三年（1874）
　　與唐紹儀、周長齡等第三批幼童赴美留學，先後就讀哈德福中學與史梯芬工學院。
　　清光緒七年（1881）五月歸國，任天津西局兵工廠繪圖員。清光緒九年（1883），
　　任中國德籍顧問穆麟德隨員，赴朝鮮籌設海關。清光緒十一年（1885），袁世凱任
　　駐朝鮮通商事宜大臣，梁被任為幕僚。清光緒二十年（1894），袁奉召回京，梁隨
　　袁歸國，委為關內鐵路運輸處處長，後升北寧鐵路總辦。清光緒二十八年（1902），
　　梁受清廷委派，由八國聯軍手中接收關外鐵路。光緒二十八年（1902）五月至光

一封發自北京的信，信中說：「德國公使曾就德國人訪問長江中下游地區事宜書信於任職外交總長的梁如浩；要求德國人獲得考察該地區情況的批准。梁如浩同意了此事。此後，德國人便著手於南京防禦工事的測定。（南京）司令員不允許此事，並將此事通報了北京政府。接著，梁如浩只是回答，駁回德國人此事係指揮官之責任。此後，德國人到四川的重要地方做了調查。對於四川之事，梁如浩做了同樣的答覆。」中文報刊在這件事上，基於如此不可捉摸的理由而出離憤怒，痛苦地呼喊道：「唉，這樣一個外交總長，對於外交事務的處理一無是處，怯懦退縮，真是個十足的叛徒。為什麼不讓他去死？」

這是煽動政治謀殺啊！像今天這種情況，中國報界在幾個月前已經出現了，上海的某位編輯，在其報刊的篇章中要求殺掉袁世凱、殺掉唐紹儀，以及殺掉其它高官的言論，被罰款三十

緒三十一年（1905）七月，任唐山路礦學堂（即後來的唐山交通大學，今西南交通大學）總督（即校長）。清光緒三十一年（1905），派駐荷蘭，後納資捐升候補道。清光緒三十二年（1906），梁負責修築京漢鐵路支線（由高碑店至梁格莊）。翌年，先後任奉錦山海關道兼關內外鐵路總辦、天津海關監督、牛莊海關道、天津海關道、上海海關道。清光緒三十四年（1908）授外務部右參議，復遷升外務部右丞兼署奉天左參贊。清宣統三年（1911）辛亥革命前夕任袁世凱內閣郵傳部副大臣。武昌起義後，廣東獨立，都督胡漢民任梁為軍政府交通部部長。1912年民國肇建，首任國務總理唐紹儀曾提名梁為交通總長，未獲參院同意。稍後，任陸徵祥及趙秉鈞內閣外交總長，加入國民黨。因派系紛爭，蒙事棘手（俄國策動外蒙獨立），乃辭職出走天津。民國十年（1921），梁如浩出任華盛頓會議中國代表團高等顧問。翌年，又被北京政府任為「接收威海衛委員會」委員長，幾經談判後於民國十二年（1923）與英國草簽「中英威海衛條約」。民國十四年（1925）加入「扶輪社」。退休後居天津。晚年任「華洋義賑會」會長。民國三十年（1941）十月在天津去世。參見：http://www.cemconnections.org/index.php?option=com_content & task=view & id=102；丁中江：《北洋軍閥史話》（北京市：中國友誼出版公司，1996年）。

元。越來越多的中國編輯樂於發揮自己英勇的傳播精神，大眾
還為之歡呼叫好。中國民眾所面臨的最大危險是來自新聞界
的，是新聞界將向對手發表污衊和誹謗言論視為自己的責任。
眼下，卻沒有相關法規對於編輯的公共責任界限作以限定，中
國新聞業的這種狀況與美國的那種大肆報導[277]很相似。中國的
立法機關有責任將中國的新聞界提升到一個與文明國家相匹配
的高度。這只有在國家自身得到發展的情況下才能實現，然而
在此時的中國新聞界卻不能奢望。中國必將為其新聞界支付昂
貴的學費。[278]

　　這篇報導的起因是德國人在中國進行考察，焦點人物梁如浩與中
國德籍顧問有故交，因而《德文新報》報導此事亦有為本國利益說話
的嫌疑。但從另一方面說，《德文新報》欲要借一事件反映中國報界
煽動政治謀殺的歇斯底里狀況，當然是選取與本國相關為優先，因為
這樣更可能將事件的細節說得確切、清楚。況且，此篇報導只是陳述
了事件，並沒有為德國在中國的考察活動作辯解，整篇的重點乃是在
於論述中文報刊中的激烈言辭與中國新聞界目前的危險狀況。
　　民國建立之後的第二年，除了《臨時約法》中保護言論自由的條
款，中國的報人幾乎沒有受到任何約束。然而，德國報人對其中國同
行的業務表現卻愈加顯露出不滿。一九一三年六月，《大東日報》[279]

---

277 《德文新報》原文為 Radaupresse，與英文中的 hullabaloo 相對應，指新聞界（對令
　　人震驚的事件）的激烈評論，集中報導。
278 Chinesische Pressfreiheit. Der Ostasiatische Lloyd. 13. Dezember 1912, S.535.
279 《大東日報》創刊於民國二年（公元1912年）八月七日。日報，對開八版。日發
　　行量一千～兩千份。初為共和黨山東組織機關報，由共和黨山東領導人王丕熙任
　　主編。後共和黨改組為進步黨，黨內派系鬥爭加劇，其中一派成立社團，《大東日
　　報》遂成為該社的機關報，由張公智任社長，王竟堯任主編。一九一九年五四運

刊載文章，指責德國騙取在山東的利益，是年八月，《德文新報》就此撰文，明確表達了對該篇報導的不滿，而這一矛頭，對準的是整個中國報業：

> 這一事件又是證明中國新聞業仍處於低層次水準的一個典型。如今，每一份中國報刊都是矛盾衝突的大雜燴而已。對中國報界來說，只是今朝有酒今朝醉的狀態；編輯們只關心一時的名聲，卻不在乎過去和將來。堅定的政治原則令他們拘謹；他們如風中的蘆葦動搖不定，很容易受到影響。在南方某個大城市的中國報業協會甚至還宣稱，只要付錢，他們就會刊載關於德皇政府週年紀念的文章。所謂的黨派報刊只是為其政黨服務，因為政黨是財神爺；沒有錢的話，報刊則立即轉向。目前中國革命頻繁，中國的報刊則有的是機會轉變其「政黨原則」。
>
> 人人都對中國報刊的搖擺不定表示不滿。若是涉及國內政治問題，外國報刊則要甘心忍受；歸根結底在於政黨自己的報刊有發佈消息的優先權。報刊對於外交政策問題的陳述，是會令每

動時期，該報以「山東問題險惡，同胞速起奮爭」的木刻大字為題，專闢一欄，登載愛國運動的消息和文章，並與當時濟南的《新齊魯公報》、《簡報》、《通俗白話報》、《山東法報》、《齊美報》等幾家刊物採取聯合行動，不刊載日本廣告、不代賣日本報紙。一九一三年，時任報社經理的葉春墀曾編寫過《濟南指南》一書，全面、詳細地介紹了濟南，以期「雖未身歷濟南者，手此一編，亦可以當臥遊」，起到了較好的宣傳作用。《大東日報》於一九二八年「五三慘案」日本佔領濟南時停刊。參見：

http://www.jnlib.net.cn:8080/was40/detail?record=430&channelid= 58656

http://www.jinan.gov.cn/art/2005/9/1/art_40_8683.html

http://blog.sina.com.cn/s/blog_4c1683280100kvk3.html

此處《大東日報》與一九二一年創刊於長春的《大東日報》不是同一刊物。參見：

http://ccwb.1news.cc/html/201008/16/content_85031.htm

個對中國感興趣的國家都感到不悅的，那些對外交事務一知半
解的中國編輯，他們處理此類消息的一貫方式是，根據潮流和
民意拼湊出一些煽動性的文章。一般來說，追求聳人聽聞的新
聞效果在其中起著不可忽視的作用。我們常常指出，許多荒蠻
的想法足以使新體制下的中國被驅使著走向沙文主義。這一點
在報業中則是格外明顯。特別是那些願意傳遞讒言的人，會在
無聲息中使中國糾結於其中，最終窒息。只要能為讀者承上點
什麼聳人聽聞的消息，中國編輯們的虛榮心就會得到滿足；如
此一來，所有來自協力廠商的唆使就都能得逞。中國的編輯們
幾乎完全是被動地接受，只收錢而不假思索，他們尤其精通於
以各種嫻熟的技巧對事實進行打磨。這並不是說中國的編輯完
全不聽教誨。相反，經驗告訴我們，一般來說，中國的編輯們
對於每一個新變化的到來都是有貢獻的。中國的報界需要外國
新聞人的明確啟迪，因為外國同行們真正理解中國的需要，中
國新聞界不應再靠製造轟動性新聞過活，而是應當安穩地致力
於評論文章的寫作。

在過去的二十年，德國遭受了比其對手[280]更多的非議。然而中
國政府或者某些個單獨的省份仍舊希望與德國保持良好的關
係，對中國人而言，德國仍是有意義的。只不過，在中國，沒
有誰比報刊對待德國的態度更為惡劣。（中國的報刊）只是偶
而會對德國表示一下友好。而這大多數情況下無非是中國報刊
在一時壓力下的行為，可能不一會就會被另一個壓力所消滅。
我們已經一次又一次地看到親德的聲音抵擋不住反德聲音的侵
襲。可能只是因為沒有幾個中國人是喜歡德國的。大多數人對

---

280 指其它在華的西方國家。

德國的看法都是錯的。或許是因為德國人沒有打出文化政策口號的旗幟，在中國為自己做宣傳。⋯⋯中國人總是問：學習德語對我的將來有何益處？德國人在中國傳授知識的願望並非是使中國趕上世界文化的水準，而是在中德之間建立精神上的聯繫，從而使得德國能夠獲得最廣泛的中國人的支持。就目前的情況來看，每次專門針對德國的事件都是源於中國報刊對於民意的挑動。⋯⋯我們必須認識到，德國不能站在已有的成績上驕傲，因為中國新聞界是會對民眾造成意想不到的影響的。[281]

縱然將不滿的情緒都清楚地擺在自己的版面上，但是，這一次，《德文新報》卻沒有像《大清報律》頒佈之前那樣，在文章中多次呼籲新聞法的出臺。在這裏，可以再次強調，《德文新報》盼望中國出臺新聞法的目的在於規範報界活動，使之更為規範化和專業化，而並非希望借助法律條文來束縛新聞業的發展，即使中國的報刊對德國表示出不友好的態度。

五　為在華外報設立新聞處

儘管遭受到民間報刊的批評指責，但《德文新報》並沒有因此停止關注與中國新聞業相關的活動。晚清及民初政府都曾經專門設立新聞處，向在華外報發佈官方消息。對於這一直接面向在華外報的官方舉動，《德文新報》作了以下記述：

---

281 Unbeständigkeit der chinesischen Presse. Der Ostasiatische Lloyd. 22. August 1913, S.153-154.

這是現在中國方面完成的第三個嘗試，這一次是通過在總理衙
門設立新聞局，目的是在北京的外報中製造影響力。第一次嘗
試是幾年前外交部完成的，其間由外交部股長顏惠慶[282]領導該
新聞處，在那裏時而能遇見幾個外國記者。然而，後來，在那
裏的訪問越來越多地獲得的是「勸導」，交流變得越來越少，
直到最後完全沒有了，只剩下新聞辦公室空有其形式，北京的
外國報刊只有偶而（大概是每月一次）刊載一條不太重要的來
自外交部的決定；而這些消息主要是由美國新聞通訊社提供
的，因為新聞處領導機構成員全部是在美國受教育的。此事引
起強烈不滿，並且使得外交部新聞處的公平性看起來不一樣
了。中華民國成立的時候，唐紹儀內閣是想要將國家以現代化
方式打造出來的，計劃是在原兵部大樓所在地的內閣大樓裏再
建一個為駐京外國記者發佈信息的部門。在北京能獲得的「新
聞源」很多，但往往是拖沓冗長，無關緊要，難辨其價值。那
時候，報刊編輯部對於曾經使用過的新聞源，一般沒有再用的
可能。現在是第三次嘗試了，這次是由袁世凱的得力助手梁士
詒[283]發起的，他已委任了四名副手，除周日外，每日四時至五

---

282 顏惠慶（1877-1950），字駿人，上海人。早年畢業於上海同文館，後去美國維吉尼
亞大學留學。回國後曾任聖約翰大學英文教授，商務印書館編輯，清朝駐美使館參
贊。一九〇九年，顏惠慶受清廷外務部徵召回國任主事，進新聞處，主編英文版
《北京日報》，同時襄助籌建清華留美預備學堂，一九一〇年並出任清華學堂總辦。
一九一二年四月被黎元洪委任為北洋政府外交次長。一九一三年一月出任駐德國
公使，後調任丹麥、瑞典等國公使。參見：顏惠慶著，吳建雍、李寶臣、葉鳳美
譯：《顏惠慶自傳：一位民國元老的歷史記憶》（北京市：商務印書館，2003年）。

283 梁士詒（1869-1933），字翼夫，號燕孫，廣東三水人，清光緒進士，授翰林院編
修。曾參與袁世凱脅迫清皇室退位的活動，民國成立後，任袁世凱總統府秘書長、
交通銀行總理、財政部次長、北洋政府國務總理等職務。參見：何本方：《中華民
國知識詞典》（北京市：中國國際廣播出版社，1992年），頁226。

時在總理衙門大樓入口處接見駐京的外國新聞界代表。無論是
選取的場所，還是指定的代辦人，都使得駐京的外國記者感到
振奮，並願意成為這第三次嘗試的試驗品。[284]

不知道是不是因為在民間報刊那裏遭到唾棄，在官方得到尊重，
《德文新報》對此次新聞處的重新設立報以很大的熱情。據《德文新
報》一九一四年一月七日收到的消息：

> 昨晚，熊希齡總理邀請在華外國新聞工作者赴宴。熊希齡在歡
> 迎辭中強調，中國政府對於在華的外國新聞媒介之意見非常重
> 視。凡有在華外國記者提出之意見或建議，國務院都會認真考
> 慮。對此，國務院已經成立新聞處，不僅為在華外媒提供信
> 息，更希望從外界獲取意見和建議。他希望，雙方的合作能取
> 得有益的成效。[285]

在該篇報導中，《德文新報》相信，「總理談到的關於新聞界參與
意見的問題可能還真的不是客套話」[286]，中國的領導人已經意識到，
中國的政府與新聞界之間的相互理解正在加深，在此情況之下，在華
外媒就具有相當重要的意義，應予以足夠重視。[287]至於新成立的新聞
處是否能起到明顯的作用，《德文新報》與諸多其它報刊一樣，也表
露出了擔心。但是，「熊希齡如此大的熱情和希望也有可能令外國記

---

284 Errichtung eines Pressbureaus im Yamen des Präsidenten. Der Ostasiatische Lloyd. 22.
August 1913, S.162.

285 Regierung und Presse. Der Ostasiatische Lloyd. 9. Januar 1914, S.31.

286 Regierung und Presse. Der Ostasiatische Lloyd. 9. Januar 1914, S.31.

287 Regierung und Presse. Der Ostasiatische Lloyd. 9. Januar 1914, S.31.

者們為之動容，（新成立的新聞處）不僅向在華外媒發佈信息，而且
首先表示希望『政府的無償顧問們』指新聞界。能夠向政府提供信息
與建議，並盡可能找到使其實現的外部條件與障礙所在。」[288]對此，
《德文新報》提出，「該新聞處設於內閣大樓，對於在華外國記者們
而言，聯繫不便——距離使館區約一小時路程——此外，至少是目前
而言，新聞處尚未接通電話，此種情況令人覺得不樂觀，該處接待來
訪及問詢處已不堪重負。」[289]儘管熊希齡的確作出了　很大的努力，
並受到外報的肯定，但無論怎樣，「這個新的新聞辦公室對於政府工
作是否有益，還有待於觀察，這將取決於其領導的基本思路。」[290]

六　民初的新聞控制

中國新聞界的氣氛開始變了。

中國政府想必是吸取了過去的教訓。有的報刊自革命之前就一
直在猛烈抨擊政府，然而，這在今天的中國已經不存在了。除
了通商口岸的中國人所辦報刊通常能夠受到外國人保護之外，
其它的那些具有反抗性的中國報刊則均受到政府的壓制。……
……
另外，政府還將通過新的新聞法規來整頓新聞界，然而，通過
以下報導來看，新聞界境況依然不樂觀：
北京，三月二十四日電
內政部長根據日本新聞法草擬的新的新聞法規呈遞袁世凱總

288 Regierung und Presse. Der Ostasiatische Lloyd. 9. Januar 1914, S.31.
289 Regierung und Presse. Der Ostasiatische Lloyd. 9. Januar 1914, S.31.
290 Regierung und Presse. Der Ostasiatische Lloyd. 9. Januar 1914, S.31.

統，已獲批准。

北京，四月一日電

新的新聞法規[291]對報刊施行了駭人的鎮壓。[292]

雖然使用了「駭人的鎮壓」這樣的語彙，但《德文新報》在報導中國新聞界與政府之間的狀況時，還是特別注意了平衡，提醒人們不要忘記中國報刊曾經有過的那種狂妄、愚蠢、輕率和惡意的行為，那些在租界或租借地裏的中國報刊，在外國人的保護下，肆意地誇大事實。[293]「『新聞自由』，這在其它國家是不言自明的自由；而中國的新聞界卻將最卑鄙的謾罵和煽動視為他們的『愛國責任』。」[294]這看似是在解釋，中國政府今天對報刊的無情壓制，在一定程度上也是在還以顏色吧。當然，我們需要的還是理性的思考：

> 官方與新聞界之間的關係是中國最重要也是最困難的問題之一；同時，這不僅僅是理解的問題，還是禮節的問題。如果雙方在最終目的，也就是公共利益，以及他們的活動的不同性質和地位上能夠相互認同，那麼問題就能得以解決。……
> ……
> 每一個人，無論地位高低，在文化與法治國家，都有要求其名譽不受傷害的權利，除非此人因自己的卑劣行徑而使名譽喪失；任何人不得損害他人的名譽權，報刊亦是如此，因此，新聞自由並不意味著報刊具有違背法律和道德的自由。那些與記

291　即一九一四年四月袁世凱政府頒行的《報紙條例》。

292　Von der chinesischen Presse. Der Ostasiatische Lloyd. 3. April 1914, S.301.

293　Presse und Regierung in China. Der Ostasiatische Lloyd. 10. April 1914, S.313-315.

294　Presse und Regierung in China. Der Ostasiatische Lloyd. 10. April 1914, S.313-315.

者發生不愉快的官員，他們的無能被冠以「賣國賊」的稱謂，
以後便每次都以此來稱呼，難道這些官員每次見諸報端時必要
做一次賣國賊嗎？這樣嚴重的語彙不應成為家常便飯。這樣的
話語天天出現在公眾的耳朵裏，大眾便習以為常了，同時，這
些語彙中的可怕思想會使真正的愛國者不寒而慄，由此變得冷
漠和粗俗。如果日日所聞都是這些字眼，那就沒有人會覺得有
什麼是真正嚴重的了。如此一來，人們的愛國意識和道德意識
就逐漸被摧毀了。此外，一個民族總是在談論叛徒之類的話
題，那麼這個民族在他國中所受的尊重也會被削弱。……新聞
界被認為是一種「強大的力量」，德皇在有一次論及大報負責
人時，將其稱為「指揮將軍」。報界是配得與當政機關相互尊
重的權威的。而反過來，作為新聞界，也必須考慮到，自己作
為一股「強大的力量」，不僅在公義上，還應在義務上承擔重
大的責任。……最重要的是，一個「強大的力量」不應有個人
的仇恨；並且，這個「強大的力量」及其「指揮將軍」應當善
於戰鬥而不是去謾罵。[295]

　　《德文新報》所表現出來的態度是偏向政府的。多年來，中國民
間自辦報刊缺乏專業素養，是《德文新報》一直在提醒的問題。除了
肆意地謾罵，「在中國新聞業中，現在還缺少一個最本質的紀律，即

---

295 Presse und Regierung in China. Der Ostasiatische Lloyd. 10. April 1914, S.313-315. 此
　處引文是《德文新報》轉引《協和報》的內容。《協和報》係《德文新報》主編芬
　克於一九一〇年十月六日（宣統二年九月四日）在上海辦的中文周刊。每年出刊一
　卷五十期。主編費希禮。第四年第十五期改由白虹主編。社址在南京路二十五
　號。其欄目有：時事、軍事、工業、商業、農業、學術、中外新聞等。用重磅道
　林紙精印，已知出過六卷。一九一四年第一次世界大戰爆發，該報成為德國在遠
　東的宣傳機關。一九一七年停刊。

是指關於腐敗、賄賂、勒索之事。幾乎每一個中國報業組織都是投機勒索性的機構，即使不完全是，至少在某一方面是也是如此。新聞界一直指責公職人員的腐敗，從不曾停歇過。官員腐敗一直是中國新聞界喜歡的題材，也是其能夠獲得業務投機的題材。……政府與新聞界建立良好關係的前提是，相互之間的理解與尊重，然而，中國新聞界卻從不曾做到這一點。可以說，政府必須對新聞界及其特性、甚至其弊端，要保持相當的忍耐和寬容。」[296]當然，誰都知道，忍耐或寬容都是有限度的。不過，正如《德文新報》以強烈的語氣闡述的那樣：「今天——在一年或兩年前，誰會想到！——角色反轉了。今天的新聞界本身沒有什麼變化。然而。它確實是變得渺小了。以前，報界曾對官方缺乏瞭解，而現在的政府則還之以四月二日頒行的新聞法[297]作為回報。」[298]對於這項《報紙條例》，《德文新報》給出了「不長但卻十分尖刻」[299]的評價，並在報導中簡要介紹了該新聞法規的內容：

> 首先，分類是不可避免的內容，分為日刊、不定期刊物、周刊、旬刊、月刊與年鑒。創建一份報刊或雜誌刊物必須明確呈遞陳述其計劃公司的性質、方式、政治傾向等的報告，以及其編輯及承印者的名字、地址、年齡、家鄉、個人履歷。刊物的發行人、編輯及承印者必須年滿三十歲，有永久居住地，不得有控訴在身，必須擁有公民權，不得屬於軍隊或海軍成員，也不允許是行政或司法人員或學生。不允許編輯與印刷者身兼二職。在越過這重重阻礙獲得警務處批准之後，勇敢的報刊創建

296　Presse und Regierung in China. Der Ostasiatische Lloyd. 10. April 1914, S.313-315.

297　即指一九一四年四月二日頒行的《報紙條例》。

298　Presse und Regierung in China. Der Ostasiatische Lloyd. 10. April 1914, S.313-315.

299　Presse und Regierung in China. Der Ostasiatische Lloyd. 10. April 1914, S.313-315.

者還必須繳納額度不同的保證金，金額從年鑒類一百元至日刊
類三百五十元不等；這一保證金額在北京、各省會城市及開放
商港則要升至兩倍（這樣一來，根本不會再有新的報刊出現
了！）。保證金是對報刊的回贈，壓制條款亦是回贈。研究
類、科學類、統計類、官方出版物、市場報告及相關類別的刊
物則免收保證金。最後，新法規規定禁止對外交、陸海軍事務
發表意見，需對上述內容守口如瓶，禁止對政府發表無端控
訴，禁止擾亂公共和平，禁止破壞社會風氣。對於外國報刊，
現在還不能直接予以懲處；而是代之以對出售外國報刊的行為
予以處罰。這最後一條規定，若無進一步說明，則是無法實現
的。那麼，隨後將要到來的則可能是相關的處罰規定。

在該新聞法的其它條款中沒有對評論文章作出要求。在盎格魯
撒克遜報業傳統下來看，這樣的新聞法令人大跌眼鏡，許多重
要的內容被肆意踐踏，「共和主義」、「自由」、「文明」這些語
彙到處亂飛，令人悲慟。一份報刊動情地引用了英國教授 T. B.
Bury 關於思想自由的新作品。所有的這種思考都是站在中國
的視角下對西方作品所做的錯誤對比假設，或者是完全將西方
的標準安置於中國國情之上。幾年前，新的中國剛剛起步，這
樣的想法尚可被容忍，但自革命以來兩年有餘，中國依然遠沒
有抓住西方文明的關鍵。若要應對這種新聞政策，就應當屏棄
慣有的空話，而是靠實踐中的思考說話。尤其是要對讀者予以
重視：避免這種危險是控制民族情緒的關鍵。

然而，……中國的當政者卻只是將中國報刊列為勒索者來對付
的。並且，無論怎樣，當政者都認為：「現在是我們處於優勢
中，現在我們就是要將這幫勒索者扼殺於搖籃中，而且要讓這
些七嘴八舌的記者閉嘴。那些曾經被壓榨的官員，現在他們可

以蠻有信心地借助新的法規給那些對各個機關進行勒索的報刊一個教訓。這就是所謂的因果報應！」[300]

　　新聞業本是社會文明進步到一定程度的產物，新聞法律的出臺是為了協助這個行業更好地發展。然而，那時候的中國，政府與新聞界之間卻在以一種粗暴的方式相互建立聯繫：一方面，報刊文章的寫作是粗鄙、庸俗的，充滿了對政府的謾罵；另一方面，新聞法令是政府為向新聞界復仇的緣故而頒行的。不過，《德文新報》仍然表示，中國新的新聞法令出臺還是一件令人高興的事情[301]，畢竟這在形式上是相對進步的。「北京的報業協會向袁世凱提出撤回現有法令，並請內政部作以修改。看來是要落空了。警察局長已告知北京報業協會，警方會嚴格執行新的新聞法，這就可以推斷出，報業協會向袁世凱總統請願修改新聞法一事，已經失敗。」[302]新聞法的作用本應當是保護新聞界的合法權益不受侵害，這樣看來，中國現有的新聞法顯然不合乎要求。不知道中國的新聞界是不是只能在逆境中才能獲得成長？只是盼望後來人能夠認真思考《德文新報》留下的這句話：「將外國的文化政策用於中國，必須明確這是為了一個怎樣的轉變，即一個意想不到的新前景和可能性！」[303]

　　政府和報刊之間本不是敵人，理當相互理解和尊重，作為文化政策的新聞法規不是用來束縛住這個行業的手腳，而是為這裏的人們保駕護航，讓他們的事業走得更遠。從晚清的《大清報律》到民初的《報紙條例》，《德文新報》從未停止過強調這些內容，只可惜，無論是新聞界還是政府，中國人並沒有真正地理解。

300　Presse und Regierung in China. Der Ostasiatische Lloyd. 10. April 1914, S.313-315.

301　Das neuePressgesetz. Der Ostasiatische Lloyd. 17. April 1914, S.344.

302　Das neuePressgesetz. Der Ostasiatische Lloyd. 17. April 1914, S.344.

303　Presse und Regierung in China. Der Ostasiatische Lloyd. 10. April 1914, S.313-315.

第六節 「《民吁報》之殞落」[304]

在中國近代報刊史上，發生在一九〇三年的「蘇報案」與一九一一年的「大江報案」是兩個最著名的報業事件。從事件所涉及的人物來看，這兩起報案是彼時站在不同立場、持不同觀點的中國人之間的對峙，其實質是以報刊為載體的政治鬥爭。然而，十分關注報業問題的《德文新報》在這兩起報案發生其時，雖已擁有相當的報導實力，但卻並未傾注多少筆墨。

但是，在上述兩起報業事件發生之間的一九一〇年，《德文新報》卻在兩個月的時間裏以連續報導的方式記錄了近代中國報刊史中另一起報業事件。對近代中國報刊史稍有熟悉的人一定不會對該事件的主角感到陌生，這份報刊便是于右任所主辦「豎三民」[305]中的《民吁日報》。

為眾人所熟知的于右任及其「豎三民」，可以說是中國近代報刊史上一部報案連續叢集。幾份報刊的先後創辦，都與報案緊密相連。[306]

---

304 該標題是借用《德文新報》報導此次報業事件時所用的標題「《民吁報》之殞落」（Zum Fall der "Min-hsü-pao"）。在報導中，《德文新報》將此次報業事件的報導對象稱為„Min-hsü-pao"。根據其報導內容來判斷，即是指《民吁日報》。本部分論述的是《德文新報》對此次報業事件的報導，所用材料主要引自該報報導，引用之處，均依據原文將《民吁日報》報名譯為「《民吁報》」，即凡稱「《民吁報》」，乃指「《民吁日報》」。

305 「豎三民」是指于右任從一九〇九年起陸續創辦的三份報刊：《民呼日報》、《民吁日報》、《民立報》。

306 于右任到上海時，革命黨人在上海的言論機關如《蘇報》、《警鐘日報》已被封禁。在東渡日本見到孫中山並加入同盟會之後，回到上海，於一九〇七年創辦《神州日報》，以革命為骨，發揚民族精神。後因一次失火籌款而引發人事問題，于右任因此退出該報。一九〇九年三月二十六日，在多方資助下，于右任又創辦《民呈日報》，以為民請命為宗旨。因抨擊陝甘官員賑災款事件，于右任被捕入獄，該報曾責斥過的官員皆群起而攻之。後來，雖然真相大白，但《民呈日報》卻在創刊僅

在中國人的視角中，于右任與「豎三民」扮演的是為國之命運而呼號的角色，這與其前赴者《蘇報》、後繼者《大江報》是一致的。作為一份在華外報，《德文新報》為什麼選擇《民吁日報》事件作連續報導呢？除了近代新聞史中反覆論說的內容，《德文新報》還會多記錄下什麼呢？

一　前奏：《民呼日報》事件

《德文新報》為什麼對《民吁日報》被封禁之事做了連續報導？這應當是與作為其前身的《民呼日報》分不開的。「民呼報案」是繼「蘇報案」之後又一起頗有影響力的報業事件。[307]關於這次事件，

三個月之後的六月二十九日停刊。在中外報刊正義言論壓力之下，于右任在被關押及庭審共一個月零七天後，於七月十二日獲釋。會審公廨的不公正判決，為當是輿論所屬聲批評。是年八月十四日，上海各報上便出現了《民呼日報》轉盤至《民吁日報》的廣告：「本報自停刊招盤，業經多日，近將機器生財等，過盤與民吁日報社承接。所有一切應收應付款項，以後概歸於民吁日報社經理，快事亦痛事也。」八月十六日，《民吁日報》出刊的消息也在各報刊登出來：「本社近將民呼日報機器生財等一律過盤，改名民吁日報。以提倡國民精神，痛陳民生利病，保存國粹，講求實學為宗旨，仍設上海望平街一百六十號內，即日出版。」事實上，《民吁日報》即是《民呼日報》的化身。于右任自言，改呼為吁，是暗示人民的眼睛被挖掉了。因為于右任在《民呼日報》案後被逐出租界，因此，《民吁日報》是由朱葆康（少屏）任發行人，范光啟（鴻仙）為社長。《民吁日報》延續了《民呼日報》的精神，對國內之事毫不留情地嚴加批評。但是，惹起《民吁日報》事件的緣由卻遠勝於前者了。彼時，日本吞併朝鮮之後，將野心轉向中國。《民吁日報》看到此危機，即對其進行揭露。在安重根刺殺伊藤博文事件發生之後，《民吁日報》更是極力聲援朝鮮革命黨人，由此惹惱日本政府。上海道臺蔡乃煌懾於日本威脅，向會審公廨提起訴訟，將《民吁日報》封禁。該報自八月二十日（西曆1909年10月3日）出版至十月初七日（西曆1909年11月19日）被封，前後僅四十八天。以上內容均引自：王雲五主編，劉延濤編：《民國于右任先生年譜》（臺北市：臺灣商務印書館，1981年），頁14-21。

307　一九〇九年甘肅大旱，《民呼日報》針對此事發表〈論升督漠視災荒之罪〉，揭露陝

　　《民呼日報》在被封禁之前「一連發表了十篇特別啟事，對該案審訊報導甚詳」[308]，各中文報刊都對此作了大量報導，《德文新報》的相關報導也大多取自中文報刊。[309]

　　一九〇九年九月，《德文新報》在關於《民呼日報》被封禁事件的後續報導中這樣寫道：「《民呼日報》的編輯因貪污與譭謗受審，正如我們上周報導的，該編輯被無罪釋放，而該編輯被長時間拘留，這一事實還是在中國人中間引起了強烈的反響和熱烈討論。參與該事件討論的當然是那些不依賴於政府的報刊。」[310]很顯然，這則後續報導是在分析了當時各個中文報刊相關報導的基礎上寫出的，其關注重點已經不再糾結於事件本身，而是轉到了中國的輿論對此事的表現上來。首先，中國報界對此事的強烈關注使得這一事件成為在華外報也不可忽略的一條新聞；更重要的一點是，《德文新報》作為中國人自辦報刊的旁觀者，敏銳地注意到，由於此次報業事件是民辦報刊與官方的直接衝突，因而事發後願意對此事發表意見的「當然是那些不依賴於政府的報刊」。[311]就這一點而言，恰是《德文新報》多次對中國

甘總督升允只顧個人保官，不管人民死活，三年匭災不報，因此導致田賦不能豁免，災荒無所賑濟。同時，于右任發起募捐賑災活動。升允大怒，電告上海道臺蔡乃煌，誣陷于右任侵吞賑款，將于右任拘押。隨後，凡被《民呼日報》指責過的官員皆趁機落井下石，一時控告《民呼日報》「誹謗罪」的就多達十四起，造成轟動中外的「民呼報案」。于右任被關押月餘，審訊七次。《民呼日報》被迫「自行停刊」，只存在了九十二天。以上內容均引自：許有成：《于右任傳》（南昌市：百花文藝出版社，2007年），頁76-79。

308 許有成：《于右任傳》（南昌市：百花文藝出版社，2007年），頁78。

309 Die „Min-hu-jih-pao.". Shanghaier Nachrichten. Der Ostasiatische Lloyd. 17. September 1909, S.265-266.

310 Die „Min-hu-jih-pao.". Shanghaier Nachrichten. Der Ostasiatische Lloyd. 17. September 1909, S.265-266.

311 Die „Min-hu-jih-pao.". Shanghaier Nachrichten. Der Ostasiatische Lloyd. 17. September 1909, S.265-266.

報界發表看法的有力證據。

　　更重要的是，《德文新報》作為旁觀者清楚地指出了《時報》和《神州日報》對於此次事件所提出的兩點關鍵問題，而這兩個點，恰是「大多數中國報刊在報導此事時疏漏的問題。[312]第一，「《時報》在一篇社論中稱，該次對《民呼日報》的判決就是一次法律上的吹毛求疵，因為既無貪污、又無惡意詆謗，這是證據確鑿的。該報質問道，『這判決是根據哪條法律來作出的呢？』[313]」[314]由此可見，《德文新報》也注意到了此次事件的一個關鍵：判決沒有法律依據。[315]第二，《德文新報》援引了《神州日報》的觀點：

　　　　在上海，總是不幸的。以前，人們總認為這裏是文明社會，這裏的新聞和言論自由是受到保護的。可《民呼日報》的事件證明了事實並非如此。在未被起訴、編輯未被捕之前，該報已經公佈了集資款項目的情況。這次的判決結果恰是表明案件其中還存在著很多混亂及缺陷，只是沒有證據去證明而已。許多官員內心裏都是憎恨報刊的，這次對《民呼日報》的處理方式便是一例。因此，可以說，輿論是受到壓制的。[316]

---

312 Die „Min-hu-jih-pao.". Shanghaier Nachrichten. Der Ostasiatische Lloyd. 17. September 1909, S.265-266.

313 此處為《德文新報》引用內容的意譯，並非《時報》原文。

314 Die „Min-hu-jih-pao.". Shanghaier Nachrichten. Der Ostasiatische Lloyd. 17. September 1909, S.265-266.

315 關於《民呼日報》事件，已有專門研究論述，此處僅討論《德文新報》所涉及之內容。相關研究如：張運君：〈清末查禁《民呼日報》案〉，《歷史教學》，2007年第11期，頁25-30。

316 Die „Min-hu-jih-pao.". Shanghaier Nachrichten. Der Ostasiatische Lloyd. 17. September 1909, S.265-266. 此處為《德文新報》引用內容的意譯，並非《神州日報》原文。

這一點，亦是《德文新報》在討論中國報業的相關問題時不止一次提到過的。《德文新報》引用中文報刊藉此事件發表的觀點，又是為自己的觀點增加了論據。

二 繼軌：《民吁日報》被封

按常理來推論，正是《民呼日報》與《民吁日報》的緊密相關性，引導著《德文新報》繼報導了《民呼日報》事件之後，對緊接著發生在《民吁日報》上的事情產生了更多的興趣。這是《德文新報》後來對《民吁日報》被封禁之事作出連續報導的直接原因。若論及更深層，應當說，這一回，《民吁日報》之所以被起訴至會審公廨，不再是中國官員與民間報刊鬥法的後果，而是由於中國民間報刊與外來者的對抗所引發的。在這次事件中，外來者指的是日本。那麼，同為外來者，德文報刊對此作何言說？

《德文新報》對《民吁日報》事件的首次報導是出現在該報被封禁（11月19日）一周之後（11月26日）。《德文新報》直言「《民吁日報》的命運似乎是要繼軌其前身了」[317]，的確如此，單單就刊物被封禁這個結果來說，並沒有什麼新意。但重點不在於此。「該報沒有與官員繼續鬥爭，而是在大眾的強烈激勵之下堅持豎起與外人鬥爭的旗幟。尤其值得注意的是，因錦州府至齊齊哈爾鐵路問題簽訂中日協定[318]以及伊藤博文被刺事件，激起了中國反日情緒；即使還沒有完全抵制日貨[319]，中國人的這種情緒也是對日本人的一個警告，警告日本

---

317 Die Aufhebung der „Min-hsü-pao".. Shanghaier Nachrichten. Der Ostasiatische Lloyd. 26. November 1909, S.350.

318 即指一九〇九年八月九日，清政府與日本被迫簽訂的〈中日安奉鐵路協約〉。

319 《民吁日報》創刊後不久，繼發表〈論中國之危機〉、〈錦齊鐵路與遠東和平〉等

政府莫以下流政治手段行事。」[320]這種論調導致「日本總領事為此向上海道臺提出，要求封禁該報，並同時向該報發行人提起訴訟。道臺遂向法國總領事提出請求，取消該報在法租界的登記註冊，一旦生效，該報將立即被宣佈封禁，如果該訴訟不能將該報發行人定罪，那也會剝奪其權力。只要會審公廨還未對此案作出判決，中國民眾便會在該報必須反日的呼籲下憤怒不已。」[321]《德文新報》清晰地注意到了《民吁日報》這次引來的是超越國界的一場麻煩，在這個層面上，又是比其前身《民呼日報》升級了。

更關鍵的問題還在後面。「此案仍懸而未決，會審公廨卻改了訴訟程序，第一次啟用一個日本人擔任陪審團成員參與案件審理，這個日本陪審員取代的是一個或美國、或英國、或德國的名額。」[322]這一點，恰是成為日後爭執的重點。「此外，中國民眾還認為本次訴訟對被告不公正，認為定罪是早已安排好的，這一點在領事團與市議會的報告裏已經暴露出來，因此，中國民眾要求該案取消日本人在陪審團中的參與資格。但是，中國人對此並不能提出法律依據，因此，這樣的抗議只能是徒勞。」[323]可以想見，當時的中國報刊和民眾是懷著怎樣一種情緒來抗議此事的。但身在其中，卻是容易迷失方向，《德文新報》報導中的最後一句話點中要害：抗議沒有有效的法律依據。

社論揭露日本狼子野心之後，又撰寫〈買日貨者看看〉，揭露日貨傾銷的害處。以上內容參見：許有成：《于右任傳》（南昌市：百花文藝出版社，2007年），頁81。

320 Die Aufhebung der „Min-hsü-pao".. Shanghaier Nachrichten. Der Ostasiatische Lloyd. 26. November 1909, S.350.

321 Die Aufhebung der „Min-hsü-pao".. Shanghaier Nachrichten. Der Ostasiatische Lloyd. 26. November 1909, S.350.

322 Die Aufhebung der „Min-hsü-pao".. Shanghaier Nachrichten. Der Ostasiatische Lloyd. 26. November 1909, S.350.

323 Die Aufhebung der „Min-hsü-pao".. Shanghaier Nachrichten. Der Ostasiatische Lloyd. 26. November 1909, S.350.

三 訴訟：誰是原告？

　　刊物被查禁，但庭審還在繼續。正如《德文新報》在一個月之後再次對《民吁日報》事件進行報導時的開篇語說的那樣：「當地中文報刊《民吁報》的訴訟案還沒有完結。眾所週知，在該報被判有罪以前，上海道臺在一個多月前就下令查封了該報的商業大樓，並且，對該報編輯至今仍未作出判決。」[324]法庭之外，該案件在法律程序中出現的矛盾狀況「所激起的憤怒不僅限於在上海的中國人，還引起了上海當地英文報刊及上海以外的中國報刊的強烈不滿。」[325]來自中國人的不滿首先當然是針對日本人的，日本總領館要求上海道臺關閉《民吁日報》報館，扮演傀儡角色的道臺自然也成為眾矢之的。如果說，庭審之外的群情憤怒是人之常情，那麼，在法庭之內，這一案件「卻沒有人願意承認自己是原告」[326]，實在匪夷所思。

　　關於這個疑問，《德文新報》在報導中呈現了十二月二十日會審公廨的整個庭審過程及後來的相關細節。在庭審中，法官提出了兩個問題：「究竟誰才是本案原告？審判團隊中有兩個日本人出現，這究竟是出於何種目的？」[327]這些都是讓這起案件成為不符合法律程序的理由。根據《德文新報》的報導，上海道臺認為，此事是由日本領事館引起的：日方認為《民吁報》的煽動性文章影響到了中日關係，要

---

324 Zum Fall der „Min-hsü-pao".. Shanghaier Nachrichten. Der Ostasiatische Lloyd. 24. Dezember 1909, S.386-387.

325 Zum Fall der „Min-hsü-pao".. Shanghaier Nachrichten. Der Ostasiatische Lloyd. 24. Dezember 1909, S.386-387.

326 Zum Fall der „Min-hsü-pao".. Shanghaier Nachrichten. Der Ostasiatische Lloyd. 24. Dezember 1909, S.386-387.

327 Zum Fall der „Min-hsü-pao".. Shanghaier Nachrichten. Der Ostasiatische Lloyd. 24. Dezember 1909, S.386387.

求將該報刊取締，因此該案的原告理應是日本總領事。但是，日本總領事對此拒不承認。

這樣一來，一方面，道臺與這次事件的始作俑者糾纏不清；另一方面，庭審陪審團中有日本人的參與，明顯對被告方不利。「被告方律師就此提出，《民吁報》以及那篇惹起風波的文章，既沒有道臺支持，也沒有庭審方面的力量支持，希望以此向法官求情。會審公廨因此建議被告與日本總領館方面溝通。但日本總領事卻再次拒絕接受調解判決，理由是其認為自己既非原告，也未參與訴訟過程。」[328]這樣看來，會審公廨在一定程度上已經傾向於日本總領事為此案原告。但就在這個當口，「道臺已向會審公廨提交了六十五篇文章的清單（而並非一篇文章），以此來證明被告有罪，這份清單也已於十二月十八日被遞送至被告律師處。會審公廨給予的答覆是，判定被告有罪的文章必須在其報刊編輯部內找到才算有效。」[329]道臺一面想澄清日本方面才是本案原告，另一方面卻做了原告應該做的事情，實在令另旁觀者啼笑皆非。因此，被告辯護方當然會揪住誰才是原告這個問題不放，畢竟，案件的審理必須符合法律程序才能有效。「由於日本總領事堅決表示自己不是此案的原告，而同時又沒有其它人明確作為原告，那麼，此案的原告就只能由地方官員或上海道臺來承擔了。可是，地方官員並未直接插手此案，這很明顯；因此，原告就只能是道臺了」。[330]「關於日本總領事與日本陪審員參與此案審理這一點，日

---

328 Zum Fall der „Min-hsü-pao".. Shanghaier Nachrichten. Der Ostasiatische Lloyd. 24. Dezember 1909, S.386-387.

329 Zum Fall der „Min-hsü-pao".. Shanghaier Nachrichten. Der Ostasiatische Lloyd. 24. Dezember 1909, S.386-387.

330 Zum Fall der „Min-hsü-pao".. Shanghaier Nachrichten. Der Ostasiatische Lloyd. 24. Dezember 1909, S.386-387.

本副領事表示，是因為該案關係到日中關係的處理。」[331]對於這一明顯對被告方不利的問題，「法官表示，陪審員組成缺乏有序性，因為此案牽扯到日本利益問題，英國陪審員在參加了第一次審判之後，便拒絕繼續參與此案的進一步審理」。[332]

「被告辯護律師最後還對被告遭受非法拘禁提出了抗議，雖然編輯部已被封禁數周，但無論是被告還是被告的辯護人，都還沒有被告知被告罪名成立。」[333]另外，「法官還請被告辯護律師將被告方《民吁報》引發風波的文章提交法庭。被告辯護律師禮貌地表示遺憾，不能滿足此請求，因為被告方的編輯部已被道臺封禁。被告方對於編輯部以不公正的方式被封禁提出抗議，認為這種專橫的行為是對法律條款的諷刺，並要求立即解禁編輯部。法官這才恍然大悟，為何被告方不能呈交文章，並承諾會向道臺要求解禁編輯部。」[334]

雖然案件尚未有定論，但《德文新報》肯定，「這次庭審是值得紀念的。這是一起中國司法判決和官方專制的醜聞，並且，這次事件提醒中國人，他們應當再次要求盡快廢除領事裁判權。這起案件揭露了日本總領事想要封禁《民吁報》的企圖。因此，從道義上的責任來講，此事應當還有後續的發展；但是，由於未向會審公廨提出起訴，致使道臺反而對該報施以不公正的訴訟，以滿足日本總領館的要求。當然，涉罪文章並無實據可證，被告辯方在庭審中已就此做了強調說

---

331 Zum Fall der „Min-hsü-pao".. Shanghaier Nachrichten. Der Ostasiatische Lloyd. 24. Dezember 1909, S.386-387.

332 Zum Fall der „Min-hsü-pao".. Shanghaier Nachrichten. Der Ostasiatische Lloyd. 24. Dezember 1909, S.386-387.

333 Zum Fall der „Min-hsü-pao".. Shanghaier Nachrichten. Der Ostasiatische Lloyd. 24. Dezember 1909, S.386-387.

334 Zum Fall der „Min-hsü-pao".. Shanghaier Nachrichten. Der Ostasiatische Lloyd. 24. Dezember 1909, S.386-387.

明。另外，辯方認為，按照慣例，會審公廨應有三方陪審員列席。英國籍陪審員將自己的位置讓與日本人，違背了慣例做法，作為控方當事人，作為日本總領事，是不適宜擔任審判員角色的。他們的國家[335]與日本結盟[336]，但他們[337]卻承擔起為日本與這份中國報刊對抗的責任，這實在令人印象深刻。日本總領館最初是想要廢除該報，但公眾意見激烈，上訴被駁回，而且庭審中陪審員的因素，也實在是缺少透明度。」[338]

四　聲音：報界與公眾輿論

　　《德文新報》對《民吁日報》事件的報導，表現出的一個突出特點是，這份在華外報所關注的不僅僅是一次中國報案，而且始終投注了相當的精力用來關注中國報界的反應：「那些依賴中國政府的當地中文報刊，沒有誰敢對此案大膽進行報導。在汕頭、香港及廣東的中

---

335 指英國。

336 指英日同盟（Anglo-Japanese Alliance），一九〇二年英國和日本為對抗俄國在遠東的擴張而結成的軍事同盟。二十世紀初，英國為加強在遠東的地位，力圖假日本之手遏制俄國在遠東的擴張；而日本為侵佔朝鮮和中國東北急於尋求反俄的同盟者。一九〇二年一月三十日，英國外交大臣蘭斯多恩侯爵（第五）H.C.K. 佩蒂菲茨莫里斯和日本駐英大使林董簽訂了《英日同盟條約》，有效期為五年。同盟訂立後，日本加緊擴軍備戰，發動了日俄戰爭。一九〇五年兩國簽訂了第二個同盟條約，承認日本對朝鮮的「保護權」，重申任何一方在遭到任何第三國進攻時，另一方應提供軍事援助。一九一一年簽訂第三個同盟條約。一九二一年十二月十三日宣告失效。參見：李廣民：〈二十世紀東北亞國際局勢與日英同盟的角色定位〉，《日本學論壇》，2000年第4期，頁45-50。

337 指會審公廨的英國陪審員。

338 Zum Fall der „Min-hsü-pao".. Shanghaier Nachrichten. Der Ostasiatische Lloyd. 24. Dezember 1909, S.386-387.

文報刊則對中國人權利的不確定性和道臺的不公正行為發出了抱怨。」[339]

中國半官方報刊對此事件的報導又是怎樣的呢？《德文新報》認為，「很顯然，中國官方對於此次事件是通過半官方的《上海泰晤士報》（Shanghai Times）發表意見的。」[340]《德文新報》是這樣轉述《上海泰晤士報》相關報導的：

> 《民呼報》[341]被封禁，該報時任發行人便向道臺申請，辦一份新的報刊《民吁報》，欲為其申請中國郵政遞送批准。道臺不同意批准該報的申請，因該新報刊的名字與一份被封禁的報刊名字太過相似。新舊報刊名字的區別只在於「呼」和「籲」字之間微小的筆劃差別，其意義在於，新報刊寓意「人民的控訴」[342]比舊報刊寓意「人民的呼喊」更為強烈。按照道臺的指令，這份新的刊物無法通過郵局系統發行，其傳播範圍就只能限於租界之內了。就這一點來說，道臺可以根據新聞法，因其未獲郵政註冊號，將該報封禁；但道臺卻對此保持沉默，直到日本總領事提出該報影響中日關係，才成了該報被鎮壓的誘因。道臺遂向會審公廨提起訴訟要求調查此事，並封禁編輯

---

339 Zum Fall der „Min-hsü-pao".. Shanghaier Nachrichten. Der Ostasiatische Lloyd. 24. Dezember 1909, S.386-387.

340 Zum Fall der „Min-hsü-pao".. Shanghaier Nachrichten. Der Ostasiatische Lloyd. 31. Dezember 1909, S.393-394.

341 此處《德文新報》原文寫作「民吁報（„Min-hsü-pao"）」，應是為「民呼報」之誤。另外，此處引用《德文新報》轉引《上海泰晤士報》內容為譯文，並非《上海泰晤士報》原文。

342 此處《德文新報》為何將《民吁日報》解釋為「人民的控訴」，並未多作解釋。按照一般說法，改「呼」為「籲」是指民眾雙眼被挖，無以呼喊，只能長籲短歎。

部，同時追究該報發行人的責任。上海公共租界工部局及警務
處在封禁該報編輯部中也起了作用；工部局有權在租界內代替
中國政府對報刊進行登記註冊。對該報發行人違法行為的司法
審判還在進行中。毫無疑問，未經註冊便公開發行，致使一般
人很容易就能讀到這份非法的刊物，這才為該報引來了不必要
的麻煩。遺憾的是，由於訴訟程序的拖延，該案的判決受到影
響。[343]

事後來看，上海道臺在處理《民吁日報》上的行為實在不高明。

總的來說，中國的民眾對此事的態度始終如一：

中國的留日學生要求北京的審查機關調查此事。在南京，同樣
出現了數以千計的民眾集會，並就此案判決致電外務部、內政
部、上海道臺、各級政府官員以及社會名流，要求作出糾正。
民眾在發至外務部及內政部的電報中，控訴了道臺違反新聞法
及濫用皇權的行為。而道臺對此電報的回覆是，依照日本總領
事的意思廢除該報，這是有理由的，因為該報擾亂了中日之間
的友好關係。[344]

事實上，「封禁報刊編輯部是沒有法律依據的，只是道臺將這一
點掩蓋了。」[345]

343 Zum Fall der „Min-hsü-pao".. Shanghaier Nachrichten. Der Ostasiatische Lloyd. 31.
   Dezember 1909, S.393-394.

344 Zum Fall der „Min-hsü-pao".. Shanghaier Nachrichten. Der Ostasiatische Lloyd. 24.
   Dezember 1909, S. 386-387.

345 Zum Fall der „Min-hsü-pao".. Shanghaier Nachrichten. Der Ostasiatische Lloyd. 24.
   Dezember 1909, S.386-387.

五　庭審：誰來擔任陪審員？

　　隨著庭審的進行及對案件的瞭解深入，《德文新報》在後續的報導中也出現了反覆——當掌握了新的情況時，編輯部會明確地否定自己之前的報導。

　　在十二月二十九日的進一步庭審中，「那篇引發罪責的文章呈現在法庭上，這就迫使辯方律師再次提到了存在異議的陪審團組成問題。因為日本副領事及日本陪審員在當日再次出席了庭審。法官對此所做的解釋依據是，庭審的這種組成，是道臺與日本總領事之間已經達成的協議。辯方律師對道臺與日本總領事之間達成的這種協議表示不接受。他拒絕此種庭審辯護，因為根據協定規定及慣例，警務事件是應當由陪審團參與協商的。他建議將此案呈交領事團裁決。經過簡短討論之後，法庭取消了此次庭審，並且未確定下一次庭審事宜。」[346]

　　在誰是本案原告還懸而未決之時，日本陪審員參與此案審理的問題又為該事件的最終定論設置了障礙。眼前的事實實在無法掩蓋，日本人在這起事件中的確不那麼光明磊落。對此，德國人是這樣表態的：

　　　　日本陪審員參與此案的審理是否適宜？即使日本總領事不作為
　　　　此案原告，但很顯然，他確是此案當事人，只不過是以道臺的
　　　　名義去實現自己的要求罷了。該日本陪審員雖然不是日本總領
　　　　事，但他確是無條件依賴總領事的官員，而且，我們毫不懷
　　　　疑，若是德國總領事在此類案件中，無論是作為原告還是訴訟
　　　　當事人，都一定會請求英國籍或美國籍的陪審員來代替德國籍

---

346 Zum Fall der „Min-hsü-pao".. Shanghaier Nachrichten. Der Ostasiatische Lloyd. 31. Dezember 1909, S.393-394.

陪審員出庭的。另一方面，我們不明白，為什麼法庭沒有對陪審員的組成提出異議，如果沒有法律依據地去提出反對，那辯方律師的官司就不好打了。[347]

　　然而，在一周之後的追蹤報導中，《德文新報》對陪審員問題的分析又有了進展：

　　辯方律師放棄了自己作為此案辯護律師一職，因其不能認同庭審中陪審團成員的組成方式。我們認為，按照規定，日本陪審員是不應當參與警務案件庭審的。我們已經報導過，幾個月前領事團已經作出決議，警務案件應當只能由英國、德國或美國籍陪審員參與審理；然而，此事還並不為公眾所熟知，因為，如果領事團此決議未能獲得一致通過，那也毫無意義可言。事實上，日本總領事在此案件中壓根沒提此事。由於被告缺少辯護律師，法官沒有對此案宣判，並允許被告再請一位辯護律師。判決的依據是，被告報刊對中日政治關係造成持續混亂，該報對於此前的警告又未予理會，日本總領事才進一步提出上訴，控告該報未經註冊便出版有違新聞法規定。因此，該報的報業公司及編輯部最終被宣佈封禁。該報的責任編輯受到了處罰，同時，與那篇引起該報罪責的文章相關的人等也受到了相應的處罰。[348]

347 Zum Fall der „Min-hsü-pao".. Shanghaier Nachrichten. Der Ostasiatische Lloyd. 31. Dezember 1909, S.393-394.

348 Zum Fall der „Min-hsü-pao".. Shanghaier Nachrichten. Der Ostasiatische Lloyd. 7. Januar 1910, S.3.

　　這樣的解釋應該是相對比較圓滿地回答了此案的兩個焦點問題：
第一，日本總領事為原告，對《民吁日報》未經註冊出版一事提起訴
訟；第二，會審公廨陪審團只能由英、德、美三國成員擔任，領事團
這一決議還不是定論，因此該決議依然沒有意義，日本陪審員參與此
案尚存合理性。

　　《德文新報》在後來的報導中又進一步作暸解釋：

> 在那種情況下，現在已有的那份規定警務案件須三方陪審的協
> 定絕對不具有決定作用，辯方律師正是對此案陪審團組成不合
> 乎慣例而提出反駁，但是毫無作用，此次警務案件的庭審中還
> 是有另外一方的陪審員參與了庭審。慣例的形成不僅僅是常年
> 實踐的結果，同時也是一種勸服，這種勸服則是基於多年合法
> 的熟練應用。[349]

六　尾聲

　　陪審員的問題看似能夠解釋得通，但是，「該案件還有餘波，在
會審公廨後來的一次庭審中，按照程序，提交簽署檔的應是英國陪審
員。但他卻拒絕在檔上簽字，因為後來案件的審理是由日本陪審員代
替他參與的」。[350]

　　另外，辯護律師在因不贊同日本陪審員參與此案庭審而請辭之
後，「轉為該案高級諮詢顧問，請求會審公廨推翻已有判決，並重新

349　Zum Fall der „Min-hsü-pao".. Shanghaier Nachrichten. Der Ostasiatische Lloyd. 28. Januar
　　1910, S.22-23.
350　Zum Fall der „Min-hsü-pao".. Shanghaier Nachrichten. Der Ostasiatische Lloyd. 7.
　　Januar 1910, S.3.

調整庭審成員組成。……他已於一月十八日致信工部局，請求覆查該
案，……工部局於十九日收到該信件，但尚未作出答覆。我們認為，
領事團那項關於限定三國陪審員的決議不會起到什麼作用，若是對判
決提出上訴，最終還是會被駁回。如若參與案件的日本陪審員提出反
對意見（我們自己的話，絕不會如此），這在法律上無論如何都是無
可置疑的；並且，即使被告沒有辯護律師，法庭還是會在被告缺少辯
護律師的情況下作出判決的。」[351]

　　毫無疑問，這是一起與中國人和在華外國人都緊密相關的報業事
件。除了事件中明顯表現出的內容之外，《德文新報》還直言：「該案
件正暴露出中國人在租界內的法律保障被剝奪了。」[352]

　　在《民呼日報》的案件上，《德文新報》未著過多筆墨，反而是
《民吁日報》事件被詳細記錄了下來。一方面，如前所述，《民吁日
報》事件涉及了在華外國人。另一方面，這恰好反映了一個漸進的過
程：《德文新報》目睹著中國報刊的發展歷程，在幾次大事件之後，
終於打動了該報，將一件報業事件詳細地報導了出來。《民吁日報》
事件被《德文新報》詳細報導出來並不是偶然的，德國人對此的報導
行為，正是說明，中國人自辦的報業開始強大了。

---

351 Zum Fall der „Min-hsü-pao"... Shanghaier Nachrichten. Der Ostasiatische Lloyd. 28.
　　Januar 1910, S.22-23.

352 Zum Fall der „Min-hsü-pao"... Shanghaier Nachrichten. Der Ostasiatische Lloyd. 28.
　　Januar 1910, S.22-23.

第九章
結 語

　　必須承認，《德文新報》中蘊藏的內容十分豐富，並非一兩項研究可以窮盡。本文僅僅是從報刊活動的角度進行討論，借《德文新報》以小見大地展現那一時期德國在華新聞活動的情況，並通過比較德國報業與英美報業的區別，探討近代在華外報的研究視角問題。

一　多樣性的近代在華外報

　　誠然，在近代中國報刊史中，在華外報「處於核心地位的為英文報刊」[1]，然而，這卻並不能掩蓋在華外報多樣性的特徵。每一種出現在近代中國土地上的外報，無論其規模大小、存在時間長短，都是近代在華外報的一分子，都是這一群體具有多樣性的重要因素。筆者以期藉此為個案，來證明近代在華外報存在多樣性這一事實。

　　在華外報在近代中國報刊史上究竟扮演了怎樣的角色？對中國近代報刊的發展起到了怎樣的作用和影響？為什麼會有這樣的作用和影響出現？這是我們一直想要回答卻一直未曾找出確鑿答案的問題。為什麼目前近代報刊史中關於在華外報的論述總是大同小異且沒有說服力？眾所週知，若要弄清楚怎樣和為什麼的問題，首先應當明確討論對象是什麼。因此，針對近代在華外報進行有效研究，首要任務是逐

---

[1]　王天根：《晚清報刊與維新輿論建構》（合肥市：合肥工業大學出版社，2008年），頁136。

一整理這些報刊的基礎性材料，弄清各個具有代表性的報刊的來龍去脈、發展變化，這正是解決「是什麼」的問題。只有將諸多個「是什麼」收集起來，才有可能進一步回答「怎樣」和「為什麼」。

本文對《德文新報》的闡述，即是上述「是什麼」其中之一。就在華外報研究來說，完成越多的基礎性工作，回答越多個「是什麼」的問題，就越能清楚明瞭地看清這一群體多樣化的特點。

二 近代在華外報研究方法的新嘗試——以《德文新報》作為個案研究

筆者選取《德文新報》作為在華外報的一個個案研究對象，亦並非偶然。

在綜合閱讀了各類相關研究成果及文獻的基礎上，對比《德文新報》及其它在華德文報刊的實際情況，可以確定，在未有基礎性研究提供支持的前提下，有關近代德國在華報刊的論述都尚缺乏有力證據，這就勢必會影響在華外報研究的某些結論。以《德文新報》為對象的個案研究則在一定程度上解決了上述問題：首先，較為詳細地呈現出《德文新報》及德國在華新聞活動的歷史細節；其次，這些細節都可以成為支撐在華外報存在多樣性這一觀點的論據；再次，這項個案研究也為深入研究在華外報提供了更多基礎性材料。

另一方面，筆者在分析《德文新報》的過程中也時時提醒自己務必注意黃旦教授針對目前近代報刊史研究現狀所提出的「報刊的歷史與歷史的報刊」這一問題。[2]昔日的報刊是今人研考歷史的重要文獻資料，其中所記載的歷史細節，往往引人入勝。這就導致了報刊史研

---

2 詳細論述參見黃旦教授原文：黃旦：〈報刊的歷史與歷史的報刊〉，《新聞大學》，2007年第1期，頁51-55。

究很容易被研究對象中呈現的歷史事實所吸引，而喪失了原本研究的「主體意識」。[3]

誠然，僅憑本文並不能在較為理想的程度上將《德文新報》這份「報刊的歷史」呈現出來，不過，針對這一問題，筆者在近代報刊的研究方法上做了些許嘗試：根據研究對象《德文新報》的實際情況，借用簡單的定量分析的方法對其進行資料分析，如此一來，既能使得論述相對客觀，同時又能藉此避開大段的原文引述，從而在一定程度上避免論述中出現喧賓奪主的情況。在以往的研究中，對近代報刊的內容分析多是採取大量引用原文的方式，所引內容的依據一般是研究者主觀提出的問題。在這種情況下，最具吸引力的不再是報刊本身，而是報刊所承載的內容了。因此，這種對報刊所進行的內容分析就很容易陷入「歷史的報刊」之中。定量分析方法在現代報刊研究中的應用已相對比較成熟，其科學性和有效性也已經在諸多研究成果中得到證明。然而，由於近代報刊與現代報刊之間存在許多差異，且前者的出版頻率及存世量都無法與後者相比，這就使得研究現代報刊可以套用的定量分析方法在近代報刊研究中難以實現。在本文中，定量分析方法之所以能夠實現，一方面得益於《德文新報》的存世量和發行周期符合該方法的分析條件，另一方面，筆者根據分析對象的實際情況，在不違背研究方法科學性的前提下適當調整了操作程序，以滿足分析條件。對於近代在華外報研究而言，任何一份刊物都不可能只通過一種分析方法就被詮釋清楚，因此，筆者對《德文新報》所做的論述也僅僅只是展現該報的某部分面貌。但是，筆者希望藉此引發學界對在華外報研究方法的更多思考和嘗試。

3　此處係借用黃旦教授的研究成果，相關論述參見：黃旦：〈報刊的歷史與歷史的報刊〉，《新聞大學》，2007年第1期，頁51-55。

三 《德文新報》關注中國報業問題

筆者自始至終都強調，分析《德文新報》並不是這一研究的最終目的，乃是為在華外報研究做基礎性材料的整理。而研究近代在華外報正是為了回答中國近代報刊史的問題。因此，在查考、閱讀和分析《德文新報》及其相關資料的過程中，筆者曾經希望試圖找出證據，證明該報所代表的德國在華報刊對近代中國報業的發展產生了直接影響，以此為本研究的重要性添加砝碼。然而，事實上，任何一份在華外報都不可能替代這一整體或直接說明這一整體的問題，每一份報刊，無論其規模大小、時間長短，都只能體現在華外報的一部分特徵，《德文新報》也不例外。是的，僅僅一份報刊，如何能對近代中國報業的發展產生直接作用呢？

在綜合整理了二十年間一千餘份《德文新報》原件之後，筆者看到了該報與中國報業發展之間的直接聯繫：這份德文刊物對中國報業及報刊活動投入的關注程度極高，是彼時諸多在華中外文報刊所不能企及的。雖然，《德文新報》對於中國報刊活動的論述並不一定客觀、準確，但毫無疑問，這些篇章可以為近代中國報刊史研究提供寶貴的歷史資料和新的視角。

如果一定要對《德文新報》有所評價，筆者認為，它在彼時德國報業中是走在前列的，在以英美報業傳統為主導的近代在華外報行列中也是頗具實力的。就德國本土報業而言，《德文新報》較早接受了英美報業的某些因素；就英美及其它國家報業傳統而言，它又深深地銘刻著德國報業傳統的印記。正如《德文新報》一九〇二年、一九〇三年的歲末徵訂啟事中所言，在人人平等的前提之下，《德文新報》

堅持維護德國人的利益，無論何種境況，同胞們都會得到支持。[4]
《德文新報》的根本宗旨在於為遠東地區德國人的利益服務。的確如
此，它從來沒有忘記自己的辦報宗旨是要成為「遠東地區德國人利益
之音」，然而，在舉國報刊陷入戰爭宣傳的泥潭之時，它在無力抗爭
的情況下又以委身的姿態默默地堅持。如果說，大戰來臨是《德文新
報》發展中的嚴重挫折，那麼，這一挫折是符合歷史發展趨勢的：每
一個事物在前進的過程中，都不是一帆風順的，總會遇到阻力，甚至
會出現暫時的倒退。

　　一九一七年，中華民國政府被迫對德國宣戰，結束了《德文新
報》的歷史。戰爭的升級使得《德文新報》被迫停刊，它的歷史戛然
而止，像是一個缺少結局的故事，卻也在抗爭與無奈中為近代在華外
報史書寫了厚重的一筆。而本文對這份報刊的討論只是探究近代德國
在華報業的開始。一九二一年中德復交，包括芬克在內的諸多新老德
國報人又將筆尖轉回中國，開始了新的事業。

　　作為中國近代報業史中佔據獨特位置的在華外報，我們的研究工
作投入的關注還相對太少，這些哺育近代中國報刊成長的乳母，其各
自究竟在近代中國報刊業務的發展和報業制度的建構中扮演了怎樣的
角色，在這些問題上，還有很長的研究之路需要走下去。本文從西方
各國報業傳統和制度存在差別的角度切入，以《德文新報》為例，肯
定其作為一種不同於英美報業的報業傳統和報業制度存在於近代中國
的報刊發展史中，希望以此為在華外文報刊的研究提供新的思路。筆
者認為，在華外報是中國新聞史中的一個重要概念，這個概念是由各
個不同的在華外文報刊集合而成的，因此，只有將各個在華外報及其

4　Der Ostasiatische Lloyd. 5. Dezember 1902, S.985.
　　Der Ostasiatische Lloyd. 11. Dezember 1903, S.929.

所代表的報業傳統和報業制度記述清楚，這個群體才可以有一個共同
的名字，稱作「在華外報」。

參考文獻

報刊原件及原版影印本：

Der Ostasiatische Lloyd　1896-1917

Ostasiatische Rundschau　1920-1941

The Courier and China Gazette　1876-1878

North-China Daily News　1885-1917

The Shanghai Courier　1878-1879, 1884

申報 1886-1917　《申報》影印本上海市上海書店1982年

西文文獻

Albert Feuerwerker. The Foreign Establishment in China in the Early Twentieth Century. Michigan Papers in Chinese Studies No. 29. Michigan: The University of Michigan Lane Hall (Publications), 1976.

B. Navarra. China und die Chinesen. Bremen: Max Nössler & Co., 1901.

Barbara W. Tuchman. The Proud Tower: A Portrait of the World Before the War 18901914. London: Hamish Hamilton Ltd., 1966.

Christel Hess. Presse und Publizistik in der Kurpfalz in der zweiten Hälfte des 18. Jahrhunderts. Frankfurt a. M./Bern/New York/Paris: Lang, 1987.

Daniel Riffe, Stephen Lacy, Frederick Fico. Analyzing Media Messages:

Using Quantitative Content Analysis in Research. Mahwah: Lawrence Erlbaum Associates, Inc., 2005.

Denis McQuail. McQuail's Mass Communication Theory (Fifth Edition). New Delhi: Vistaar Publications, 2005.

Frank H. H. King (editor) and Prescott Clarke. A Research Guide to China-Coast Newspapers, 18221911. Cambridge: East Asian Research Center Harvard University, 1965.

Fritz Körner. Das Zeitungswesen in Weimar (1734-1849): Ein Beitrag zur Zeitungsgeschichte. Leipzig: Verlag von Emmanuel Reinike, 1920.

G. Zay Wood. The Shantung Question: a study in diplomacy and world politics. New York: Fleming H. Revell Company, 1922.

H. G. Wells. In the Fourth Year: Anticipations of a World Peace. New York: The Macmillan Company, 1918.

Hosea Ballou Morse. The International Relations of the Chinese Empire. Volume I: The Period of Conflict 18341860. Honolulu: University of Hawai'i Press, 2008.

Eidted by Howard Tumber. Journalism (Volume I). London: Routledge, 2008.

Eidted by Hugo de Burgh. Making Journalists. London: Routledge, 2005.

James Curran, Jean Seaton. Power without Responsibility: The press, broadcasting, and new media in Britain. New York: Routledge, 2003.

John William Burgess. American's Relations to the Great War. Chicago: A. C. McCLURG & Co., 1916.

Klaus Hildebrand. Das vergangene Reich: Deutsche Außenpolitik von

Bismarck bis Hitler Berlin: Ullstein Buchverlage GmbH & Co. KG, 1999.

Margot Lindemann, Kurt Koszyk. Geschichte der deutschen Presse: Deutsche Presse bis 1815. Berlin: Colloquium Verlag, 1986.

Mechthild Leutner. Deutsch-chinesische Beziehungen 1911-1927 . Berlin: Akademie Verlag GmbH, 2006.

Meyers Großes Konversations-Lexikon, Band 4. Leipzig 1906.

Michael A. Morrison. Sidelights on Germany: Studies of German Life and Character during the Great War, Based on the Enemy Press. New York: George H. Doran Company, 1918.

Michael Schudson. Discovering the News. New York: Basic Books, Inc., 1978.

Selected by Pierre de Bacourt, John W. Cunliffe. French of To-day: Readings in French Newspapers. New York: The Macmillan Company, 1917.

Rosewell S. Britton. The Chinese Periodical Press. Shanghai: The Press of Kelly & Walsh, LTD., 1933.

Edited by Ross F. Collins and E. M. Palmegiano. The Rise of Western Journalism, 1815-1914. Jefferson: McFarland & Company, Inc., Publishers, 2007.

Rudolf Stöber. Deutsche Pressegeschichte: Von den Anfängen bis zur Gegenwart. Konstanz: UVK Verlagsgesellschaft mbH, 2005.

Edited by Sherman Cochran. Inventing Nanjing Road: Commercial Culture in Shanghai, 1900-1945. New York: East Asia Program Cornell University, 1999.

The Commission on Freedom. A Free and Responsible Press. Chicago: The University of Chicago Press, 1947.

Eidted by The New York Press Club. Journalism: Its Relation to and Influence upon the Political, Social, Professional, Financial and Commercial Life of the United States of America. The New York Press Club, 1905.

Wilhelm Joest. Die Aussereuropäische deutsche Presse: nebst einem Verzeichnis sämtlicher ausserhalb Europas erscheinenden deutschen Zeitungen und Zeitschrift. Köln, M. DuMont 拟 Schauberg'sehen Buchhandlung, 1888.

William H. Skaggs. German Conspiracies in America: From an American Point of View by an American. Toronto: Thomas Langton, 1915.

中文文獻

艾爾‧芭比　社會研究方法　北京市　華夏出版社　2005年

巴巴拉‧Ｗ‧塔奇曼，張岱雲等譯　八月炮火　北京市　新星出版社　2005年

白潤生　中國新聞傳播史新編　鄭州市　鄭州大學出版社　2008年

陳昌鳳　中國新聞傳播史：媒介社會學的視角　北京市　北京大學出版社　2007年

陳旭麓　近代中國社會的新陳代謝　上海市　上海社會科學院出版社　2006年

程曼麗　《蜜蜂華報》研究　澳門　澳門基金會出版1998年

儲玉坤　現代新聞學概論　上海市　世界書局　1948年

戴元光　傳播學研究理論與方法　上海市　復旦大學出版社　2004年

迪特爾・拉甫　德意志史──從古老帝國到第二共和國（中文版）　波恩市　Inter Nationes　1987年

丁淦林主編　中國新聞事業史　北京市　高等教育出版社　2007年

丁中江　北洋軍閥史話　北京市　中國友誼出版公司　1996年

范慕韓　中國印刷近代史初稿　北京市　印刷工業出版社　1995年

方漢奇　新聞史的奇情狀彩北京市　華文出版社　2000年

方漢奇　中國新聞事業編年史（上冊）　福州市　福建人民出版社　2000年

方漢奇　中國新聞事業通史（第1卷）　北京市　中國人民大學出版社　1992年

方漢奇　中國新聞事業圖史　福州市　福建人民出版社　2006年

方漢奇　中國新聞學之最　北京市　新華出版社　2005年

馮邦彥　香港英資財團（1841-1996）　上海市　東方出版中心　2008年

馮悅　日本在華官方報：英文《華北正報》（1919-1930）研究　北京市　新華出版社　2008年

弗雷德里克　S・希伯特、希歐多爾・彼得森、威爾伯・施拉姆，戴鑫譯，展江校　傳媒的四種理論　北京市　中國人民大學出版社　2008年

甘惜分　新聞學大辭典　鄭州市　河南人民出版社　1993年

皋古平　同濟大學100年　上海市：同濟大學出版社2007年

戈公振　中國報學史　臺北市　臺灣學生書局　1982年

故宮博物院明清檔案部編　清明籌備立憲檔案史料（下冊）　北京市　中華書局　1979年

管翼賢纂輯　新聞學集成（第三輯）（民國叢書第四編─45）　上海書店影印本　上海市　中華書局　1943年

管翼賢纂輯　新聞學集成（第五輯）（民國叢書第四編—45）　上海　　書店影印本　上海市　中華書局　1943年

H‧哥爾維策爾　黃禍論　北京市　商務印書館　1964年

哈樂德‧D‧拉斯維爾，張潔、田青譯，展江校　世界大戰中的宣傳　　技巧　北京市　中國人民大學出版社　2003年

何本方　中華民國知識詞典　北京市　中國國際廣播出版　社　1992年

黃光域　外國在華工商企業詞典　成都市　四川人民出版社　1995年

黃美真、劉其奎、王孝儉、《上海通志》編纂委員會　上海通志上海　　市　上海人民出版社　2005年

賈樹枚主編《上海新聞志》編纂委員會編　上海新聞志上海市　上海　　社會科學院出版社　2000年

姜鳴　龍旗飄揚的艦隊——中國近代海軍興衰史　上海市　上海交通　　大學出版社　1991年

凱文‧威廉姆斯撰，劉琛譯　一天給我一樁謀殺案：英國大眾傳播史　　上海市　世紀出版集團　上海人民出版社　2008年

康有為　康有為政論集　北京市　中華書局　1998年

柯惠新、祝建華、孫江華　傳播統計學　北京市　北京廣播學院出版　　社　2003年

柯偉林撰，陳謙平、陳紅民、武菁、申曉雲譯，錢乘旦校　德國與中　　華民國　南京市　江蘇人民出版社　2006年

朗佩特撰，田立年譯　施特勞斯與尼采上海市　上海三聯書店　2005年

雷頤　李鴻章與晚清四十年　太原市　山西人民出版社　2008年

雷麥著，蔣學楷、趙康節譯　外人在華投資　北京市　商務印書館　　1959年

李　彬　中國新聞社會史（1815-2005）　上海市　上海交通大學出　　版社　2007年

李長莉　晚清上海社會的變遷——生活與倫理的近代化　天津市　天津人民出版社　2002年

李劍農　中國近百年政治史（1840-1926）　上海市　復旦大學出版社　2002年

李明水　世界新聞傳播發展　史——分析、比較與評判　臺北市　大華晚報發行1988年

劉和平主編　中國近現代史大典（上冊）　北京市　中共黨史出版社　1992年

劉哲民編　近現代出版新聞法規彙編　上海市　學林出版社　1992年

羅時漢　城市英雄：武昌首義世紀讀本　武漢市　湖北長江出版集團長江文藝出版社　2010年

馬長林主編　租界裏的上海　上海市　上海社會科學院出版社　2003年

馬光仁　上海新聞史（1850-1949）　上海市　復旦大學出版社　1996年

馬光仁　中國近代新聞法制史　上海市　上海社會科學院出版社　2007年

馬洪武　中國革命史辭典　北京市　檔案出版社　1988年

馬學新、曹均偉　上海文化源流辭典　上海市　上海社會科學院出版社　1992年

邁克‧亞達斯、彼得‧斯蒂恩、斯圖亞特‧史瓦茲撰，大可、王舜舟、王靜秋譯　喧囂時代：二十世紀全球史　北京市　三聯書店　2005年

寧樹藩　寧樹藩文集　汕頭市　汕頭大學出版社　2003年

邱小平　表達自由——美國憲法第一修正案研究　北京市　北京大學出版社　2005年

讓諾埃爾‧讓納內　西方媒介史　桂林市　廣西師範大學出版社　2005年

饒立華　流亡者的報刊──《上海猶太紀事報》研究　北京市　新華
　　　出版社　2003年

秦紹德　上海近代報刊史論　上海市　復旦大學出版社　1993年

上海市檔案館編　工部局董事會會議錄（20）　上海市　上海古籍出
　　　版社　2001年

上海市地方志辦公室　上海名街志上海市　上海社會科學院出版社
　　　2004年

上海通社　舊上海史料彙編　北京市　北京圖書館出版社　1998年

上海通社　上海研究資料　上海市　中華書局有限公司　1936年

上海通社　上海研究資料續集　上海市　上海通社　1984年

《上海醫藥志》編纂委員會編　上海醫藥志上海市　上海社會科學院
　　　出版社　1997年

施丟克爾　十九世紀的德國與中國　北京市　三聯書店　1963年

史梅定　上海租界志上海市　上海社會科學院出版社　2001年

斯塔夫裏阿諾斯撰，董書慧等譯　全球通史：從史前到21世紀（第7
　　　版）（下冊）　北京市　北京大學出版社　2005年

王光祈　王光祈旅德存稿（民國叢書第五編─75）　上海書店影印本
　　　上海市　中華書局　1936年

王檜林、朱漢國主編　中國報刊辭典（1815-1949）　太原市　書海
　　　出版社　1992年

王天根　晚清報刊與維新輿論建構　合肥市　合肥工業大學出版社
　　　2008年

王雲五主編，劉延濤編　民國于右任先生年譜　臺北市　臺灣商務印
　　　書館　1981年

王治心　中國基督教史綱　上海市　上海古籍出版社　2007年

威廉‧阿倫斯、大衛‧夏爾菲撰，丁俊傑、程坪、沈樂譯　阿倫斯廣
　　　告學　北京市　中國人民大學出版社　2008年

吳圳義　清末上海租界社會　臺北市　文史哲出版社　1978年

熊月之等　上海的外國人　上海市　上海古籍出版社　2003年

熊月之、張敏　上海通史（第六卷‧晚清文化）　上海市　上海人民
　　　出版社　1999年

徐祥民等　中國憲政史　青島市　青島海洋大學出版社　2002年

許有成　于右任傳　南昌市　百花文藝出版社　2007年

顏惠慶著，吳建雍、李寶臣、葉鳳美譯　顏惠慶自傳：一位民國元老
　　　的歷史記憶　北京市：　商務印書館　2003年

姚公鶴　上海閒話　上海市　上海古籍出版社　1989年

葉亞廉、夏林根主編　上海的發端上海市　上海翻譯出版　公司
　　　1992年

葉再生中國近代現代出版通史（第一卷）　北京市　華文出版社
　　　2002年

餘家宏、寧樹藩　新聞學詞典　杭州市　浙江人民出版社　1988年

曾虛白　中國新聞史　臺北市　三民書局　1966年

張偉　滬瀆舊影　上海市　上海辭書出版社　2002年

張仲禮　近代上海城市研究（1840-1949年）　上海市　上海文藝出
　　　版社　2008年

趙爾巽等撰　清史稿　北京市　中華書局　1977年

趙敏恒　外人在華的新聞事業　上海市　中國太平洋國際學會　1932
　　　年

趙永華　在華俄文新聞傳播活動史（1898-1956）　北京市　中國人
　　　民大學出版社　2006年

中華書局編　清實錄（影印版）　北京市　中華書局　1986年

中國人民大學新聞系新聞事業教研室　中國近代報刊史參考資料（上
　　　　冊）　北京市　中國人民大學新聞系內部印本　1980年
朱英　晚清經濟政策與改革措施　武漢市　華中師範大學出版社
　　　　1996年
莊維民、劉大可　日本工商資本與近代山東　北京市　社會科學文獻
　　　　出版　社　2005年
卓南生　中國近代報業發展史：1815-1874　北京市　中國社會科學
　　　　出版社　2002年
鄒依仁　舊上海人口變遷的研究　上海市　上海人民出版社　1980年

期刊文獻：

Hartmut Walravens. German Influence on the Press in China. IFLANET
　　　　International Federation of Library Associations and Annual
　　　　Conference, 1996.

Jean K. Chalaby. Journalism as an Anglo-American invention. European
　　　　Journal of Communication. 1996, 11(3).

Michael Schudson. Question Authority: A History of the News Interview
　　　　in American Journalism, 1860s1930s. Media, Culture and Society,
　　　　1994, 16(4).

陳冠蘭　近代中國的租界與新聞傳播　新聞與傳播研究　2008年15-
　　　　1期
馮躍民　從1875-1925年《申報》廣告看中外「商戰」　檔案與史學
　　　　2004年第2期
何炳然　清末《政論》《國風報》的立憲宣傳──兼談梁啟超這個時
　　　　期的思想變化　新聞與傳播研究　1992年

胡道靜　情報‧新聞‧歷史報學雜誌1948年第1卷第5期

胡道靜　上海的定期刊物（下）　　上海市通志館期刊　1933年12月第1卷第3期

黃旦　報刊的歷史與歷史的報刊　新聞大學　2007年第1期

李廣民　二十世紀東北亞國際局勢與日英同盟的角色定位　日本學論壇　2000年第4期

秦紹德　我國近代新聞史探微——兼論香港、上海早期報刊　新聞研究資料：總第48輯　北京市　中國社會科學院新聞研究所　1989

孫慧編選　《新聞報》創辦經過及其概況　檔案與史學　2002年第5期

吳文虎　本體迷失和邊緣越位——試論中國新聞史研究的誤區　新聞大學　2007年第1期

徐志紅、陳慶華　創刊初期的英文《文匯報》（晚刊）　新聞大學　2001年冬季號.

楊曉娟、申和平、康紅　民初《中央新聞》案述評　河北大學學報（社會科學版）　2011年第4期

袁志英　《黃報》、施托菲爾和《黃報》中的日本觀　德國研究　2004年第3期

張運君　清末查禁《民呼日報》案　歷史教學　2007年第11期

朱　英　近代中國廣告的產生發展及其影響　近代史研究　2004年第4期

鄒振環　清末的國際移民及其在近代上海文化建構中的作用　復旦學報：社會科學版　1997年第3期

後記

　　光陰荏苒，自二〇〇七年秋入上海大學鄭涵教授門下至今，時間已走過四載。悉數過去每次聆聽導師授業解惑，為其對學術的嚴謹、執著和單純，心中總留下不盡的感動。四年中，導師一方面嚴格督促我在相關學科領域內做基礎性閱讀，同時定期闢出專門時間與我進行面談，瞭解我在學術方面的興趣和想法。在數月的討論之後，《德文新報》最終被確定成為我的研究對象。繼而，我踏上了資料搜集的征程，每日與百年前的報刊、書籍為伍成了我三年研究生生活的主題。歷史之於今人，總是習慣以碎片的形式呈現出來，另外，在這份報刊之外，還零落著與之相關的種種痕跡，這讓整理資料成了一件悲喜交加的事情。感謝導師，總要在繁忙的工作中、甚至休息日裏抽出儘量多的時間與我交流，每次談話問起最近階段收集資料的收穫，無論進退與否，總是給出高屋建瓴的引導和耐心的鼓勵。每每懈怠，導師又總是適時提醒：學術研究本是一件艱苦且嚴肅的事情，須有持之以恆的毅力。而每次交談，我也總能從導師的話語中解讀出來自學術的快樂，這常常是在我學習中感到最溫暖的地方。

　　時至今日，與《德文新報》相處已有近四年時間，感情至深，無以言表，今日能夠成書，作此研究時最初的夢想得以實現，與諸多師友的幫助密不可分。

　　承蒙鄭涵教授不棄學生愚鈍，能夠在恩師門下繼續讀書，是我多年求學旅途中最幸運之事。學生深知，學術之路坎坷艱難，導師教誨必時時謹記、警醒。但求以此表達對恩師多年教誨的感激之心。

過去四年的時間裏，在上海圖書館徐家匯藏書樓各位老師的幫助下，我得以使用《德文新報》一八九六年至一九一七年的全部珍貴館藏，這是對該報進行研究得以實現的關鍵因素。衷心感謝王仁芳、王惠慶、明玉清、沙根林、徐錦華、包中、單雪、沈婕各位老師，四年來，艱苦的資料搜集整理過程有你們的日日陪伴和鼓勵，待我如家人，學生心中充滿感恩。感謝你們，不僅以專業的知識和特長對我的論文寫作給予指導和幫助，更以謙虛、負責的工作態度讓我體會到了你們高貴的人格魅力。學生謹以此書敬獻藏書樓各位老師，以表達心中不盡的感激。

在本文的寫作過程中，我一值得到柏林自由大學傳媒史與文化研究所 Hermann Haarmann 教授的幫助和指導，在德國報業史和在華德文報刊研究現狀等方面，Haarmann 教授都給了我有益的信息和誠懇的說明，甚至在假日裏還通過郵件為我解答研究細節方面的問題。在明斯特大學 Bernd Blöbaum 教授的熱心推薦下，我還得到了萊比錫大學傳播與媒介研究所的 Arnulf Kutsch 教授的建議和指導，其學生於湘小姐和 Denise Sommer 博士都給了我熱情的幫助。美國喬治亞州立大學新聞傳播系 Leonard Teel 教授在新聞史敘事和寫作方面教授我多方面知識和方法，其夫人 Katie Teel 則從歷史學者的角度為我的研究推薦了相關書籍，對論文寫作益處頗多。在此衷心致謝並深深祝福。

感謝上海大學影視學院的各位老師，在四年的學習中給予我專業方面的悉心指導。自入校至今，更有諸多同窗學友，在學術方面為我的榜樣，在生活中對我愛護有加，在文章寫作最艱難的時候付出了時間和關愛幫助我渡過難關，定將銘感在心。

感謝摯友高清（櫻小木），在過去的幾年中長期為我提供工科方面的知識和技術支持。我在國家圖書館查閱資料期間，辛苦你為我料理一切生活瑣事，盡在不言中。你一直是我為夢想奮鬥的精神支柱！

　　感謝遠赴德國攻讀學位的崔安楠先生，在收集資料及構思成文的漫長過程中及時督促我的寫作進度。每每遇到瓶頸，又總是耐心聽我講述思路並進行相關討論，並在學業繁重的情況下為我論文寫作中的諸多資料翻譯進行了校對。

　　感謝王長林、王長青二位舅父多年來在我學業方面付出的心血，尤其在過去四年中，不僅常常就相關問題與我進行交流討論，更在各類書籍及古舊文獻資料收集方面給予我有益的幫助和指導。你們用專業知識所長和無微不至的關懷讓我的論文寫作過程充滿了幸福感。

　　我的摯愛雙親，女兒不能常常在身邊陪伴，深感愧疚。僅能以此報答你們多年的養育之恩。謝謝你們的包容和理解，謝謝你們一直支持我的夢想。我愛你們！

　　當《德文新報》的碎片被一點點地拼接起來，我真的能夠體會到快樂，並如梭羅所言，在清醒的狀態下，歡喜若狂。

　　長期以來，金冠軍教授對於此項研究以及拙作的撰寫不惜賜教，在此，致以崇高敬禮，並且表示深切謝忱。

牛海坤

二〇一一年十月於上海大學

中國近代報刊研究叢書　A0300003

德文新報研究（1886-1917）　下冊

作　　者　牛海坤
責任編輯　蔡雅如
發 行 人　陳滿銘
總 經 理　梁錦興
總 編 輯　陳滿銘
副總編輯　張晏瑞
編 輯 所　萬卷樓圖書股份有限公司
排　　版　林曉敏
印　　刷　百通科技股份有限公司
封面設計　斐類設計工作室
出　　版　昌明文化有限公司
桃園市龜山區中原街 32 號
電話　(02)23216565
發　　行　萬卷樓圖書股份有限公司
臺北市羅斯福路二段 41 號 6 樓之 3
電話　(02)23216565
傳真　(02)23218698
電郵　SERVICE@WANJUAN.COM.TW
大陸經銷
廈門外圖臺灣書店有限公司
　　電郵　JKB188@188.COM
ISBN 978-986-93170-1-6
2016 年 5 月初版
定價：新臺幣 260 元

如何購買本書：

1. 劃撥購書，請透過以下郵政劃撥帳號：
　　帳號：15624015
　　戶名：萬卷樓圖書股份有限公司
2. 轉帳購書，請透過以下帳戶
　　合作金庫銀行　古亭分行
　　戶名：萬卷樓圖書股份有限公司
　　帳號：0877717092596
3. 網路購書，請透過萬卷樓網站
　　網址　WWW.WANJUAN.COM.TW
大量購書，請直接聯繫我們，將有專人為您
服務。客服：(02)23216565 分機 10

如有缺頁、破損或裝訂錯誤，請寄回更換

國家圖書館出版品預行編目資料

德文新報研究(1886-1917) / 牛海坤著. -- 初
版. -- 桃園市：昌明文化出版；臺北市：萬
卷樓發行, 2016.05
　　冊 ;　　公分. -- (中國近代報刊研究叢書)
ISBN 978-986-93170-1-6(下冊 : 平裝)
1.報紙 2.德語 3.上海市
059.92　　　　　　　　　　　　105007559